――次に何が起こるか?

WHAT NEXT

コロナ以後全予測

宮崎正弘

ハート出版

プロローグ　大恐慌が再来した

WHAT NEXT

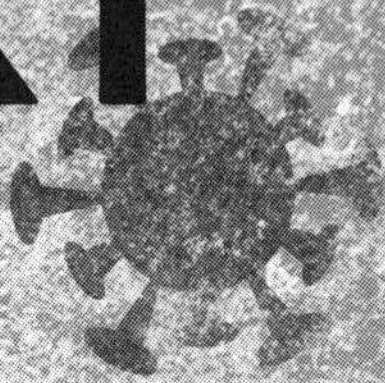

「都市封鎖は解けても『こころの封鎖』は解けない。こうした状態がコロナ前に戻るにはたいそうな時間が必要だろう」

ラフェル・ベール『ガーディアン』（英紙）2020年4月28日

▼短期的には消費、流通に変化

「武漢コロナ・ウイルス」の災禍が発生して以来、失業率だけをみると既に世界は「大恐慌」に突入していた。

ただし六月初旬現在、株価暴落が起きておらず、金融恐慌とセットではない変態的状況には留意しておきたい。

米国では非常事態宣言から五週間で二六五〇万人が失業保険を申請し、五月初旬でまだ六〇〇万人が登録を済ませていなかった。失業率は二〇パーセントだった。

失業率が一パーセント悪化すると日本では自殺者が一年に二千名増える。中国ではGDPが一パーセント下がると五〇〇万人が失業する。失業が増えると真っ先に不要となるのは外国人労働者。ついで時給が下がり、正社員にはなれず、派遣社員の雇用もしない方向に経営者は傾く。アルバイトで生活して学費を稼いできた学生は悲鳴をあげ、学生ローンに走った。消費は大きく減退する。

政府が国民にカネを配るという大盤振る舞いが続くとインフレになる筈だが、原油暴落のためむしろデフレ気味だ。通貨はいずれ大きく価値を棄損され、金本位復帰の議論が復活するだろう。

米国も日本も失業率の統計方式は、失業保険の申請者の数だけである。つまり、失業保険に加わっていないアルバイトやパートのおばさん、サービス、風俗産業などの失業増は統計には反映されないから、日米ともに失業はもっと多いのである。

日本の飲食店業界は、これまでも一年に五、六万軒が廃業し、同じ数ほどが開業してきた。今回は七万軒くらいが閉店、もしくは廃業となるだろう。コロナ以降、しばらく新規開店は二〜三万店舗に留まるだろう。サービス産業からの転業を受け止める産業は農業、漁業、介護、建築現場などである。

人間が生きて行くには食が一番である。

コンビニ店員も外国人ばかりから日本人の雇用が増える。若者が第一次産業に還れば日本的な美観も田園風景も回復し、自然の美しさに感動するチャンスが増える。なにしろ新型ウイルスは自然に逆らって生態系を破壊してきたことに起因するのだ。

一九三〇年代の大恐慌時代、米国での失業のピークは一九三三年で二四・九パーセントだった。回復軌道に乗った一九四〇年にようやく一四・六パーセントにまで回復した。けれども巷には依然として失業者が溢れ、救世軍は炊き出しに追われた。

中国は二億人の失業者数が潜在すると推定され、就労人口の二五パーセントである（中国国家統計局はこの数字を使わないが）。

いわゆる世界大恐慌は一九二九年から一九三四年の五年間とされる。だが、実際の回復には一〇年を要している。米国の一九二九年のＧＤＰは一〇四四億ドルだった。このＧＤＰ一千億ドル台の回復は一九四〇年までかかっている（左ページ表参照）。

コロナ以後、日本とて例外ではなく最悪の事態がくる気配が濃厚である。備えは出来ていますか？

▼「これから」何が起こるのか

近未来に何が起きるかは誰にも分からないが、これまでの経過と変遷を踏まえて、よもや、まさかの最悪のシナリオを考えておくべきである。いにしえより「賢者は最悪に備える」。

日本の企業利益は二〇二〇年度上半期、四六パーセントの下ブレとなる。石油業界を筆頭に商社、電気、鉄鋼、自動車および自動車部品、鉄道、バス、空運と純利益が激減した。そればかりか日産の赤字転落を皮切りに三越伊勢丹もＨＩＳも赤字計上、清水銀行は一一年ぶりの赤字。オークマの純利益は九二パーセント減、マブチ七四パーセント減、三菱ケミカル六七パーセント減、日通六五パーセント減、ＨＳＢＣは五七パーセント減。ＡＮＡは一〇年ぶりに無配、Ｊリーグが二〇〇億円の融資を要請した。

表：大恐慌時代の米国ＧＤＰと失業率の変化

年度	ＧＤＰ（億ドル）	失業率（％）	備考
1929	1044	3.2	
1930	911	8.7	
1931	763	15.9	
1932	583	23.6	
1933	560	24.9	※ここからＦＤＲ時代
1934	650	21.7	
1935	725	20.1	
1936	827	16.9	
1937	908	14.3	
1938	852	19.0	
1939	911	17.2	
1940	1066	14.6	

（菊池英博『金融大恐慌と金融システム』より）

無謀とも言える挑戦を続けてきたソフトバンクにも急ブレーキがかかった。もう少し羅列を続けると、キヤノン三〇パーセントの純利益減、現代自動車四二パーセント減、東京ガス四九パーセント減、ドコモ一六パーセント減、ファナックは六〇パーセント、デンソー七〇パーセント、京セラ一八パーセント、日東電工一四パーセントと、それぞれが純利益を減らし、三菱自動車は二六〇億円の赤字となった。

倒産、廃業が一万社を突破、まるで地獄、いや、地獄の入り口に立ったに過ぎないのか。

「最悪のシナリオ」は以下の通りである。

むろん、この最悪事態は机上のシナリオとして「万一の備えを怠るべからず」という意味で列記するもので、かならず事態がこのようにぶれるという予測ではない。

1、米国と中国の失業が実質二五パーセントを越えた。史上空前の「大恐慌」が始まる。ほとんどの国が保護貿易に傾き、地域ブロック化するので経済規模が萎縮する。日本でも失業率が高まり、同時にインフレが起こる気配が濃厚、治安が悪化する。

2、米中対決の激化、コロナ災禍以後は明らかに「米中新冷戦」となってしまった。東アジアばかりか、インド太平洋においても米中対立の激化が影響し、日本は米国に付くのか、寝返って中国に付くのか、リトマス試験紙を試されることになる。すなわち日米同盟が亀裂する危機を迎える。

3、世界の大企業、有名企業は政府支援も限界に突き当たり、倒産危機に直面する。負債処理に追われ、株式市場は六〇パーセント前後下落する計算になる。株式市場の暴落基準は「半値・八掛け・二割引」という定則があるように。

4、ボーイングやデルタ航空、ドイツではルフトハンザなど「潰すには大きすぎる」ので、場合によっては一時国有化というアメリカ資本主義に例のない非常手段も講じられる。げんにアリタリア航空はイタリア政府が国有化した。現段階ではボーイングの社債を中央銀行が買い取るという非常手段が講じられており、実質的に国有化に近い。

5、自社株買い、株主配当重視などといった近視眼的経営の抜本的改変が行われ、四半期ごとの決算が見直される。会計制度の変革が世界的に起こるだろう。

6、ドル基軸という通貨体制への疑念が深まり、為替相場が乱高下の挙げ句に市場は一時停止され、通貨戦争が大規模になると世界の決済システムが中断に追い込まれる。

7、金、プラチナなど商品市場が暴騰をつづける一方で、穀物などのコモディティ市場は乱高下を繰り返す。レアメタル取引はスマホ販売減により低迷するが、産地のコロナ感染で供給が先細りになるので。とくに「永遠の通貨」＝ゴールドの市場動向には注意が必要である。

8、中国では食糧が不足し、店舗が襲撃され、暴動が多発する。すでに中国各地で賃金不払いに抗議するデモ、集会が頻発しているが、このままでは飢饉が発生し、そのうえ蝗害が追い打ちをかける。軍隊が治安維持で出動すると略奪の先頭にたって匪賊化する。

9、目の前に迫った蝗害の不安。サバクトビバッタがパキスタンから新疆ウイグル自治区に侵入してくると青海省、甘粛省から雲南省までの広範な範囲に飛ぶ。この地域では中国全体の穀物（小麦、トウモロコシ等）の一一パーセント、大豆の一五パーセントを生産する。トウモロコシは豚や牛の餌で、養豚業も牧畜業も直撃される。中国は大豆の八〇パーセントを輸入に依存している。トウモロコシは豚・牛の餌のほかに工業用のエタノールに転用している。中国の食糧安全保障が意外に脆弱なことが明らかとなる。

10、蝗害が南のインドからバングラディシュ、ミャンマーを越えて広西チワン自治区、広東省、湖南省から北は河南省まで拡大すると、この地域は穀物が二四パーセント、大豆一〇パーセントの穀倉地帯であるがゆえ被害は甚大になる。さらに山東省から福建省の沿岸部にまで蝗が飛翔し、生命力を維持すると穀物の二五パーセント、大豆の一三パーセントが被害を受ける。サバクトビバッタは全長五センチしかないが、一日百キロを飛翔する。

11、東京五輪は二〇二一年も開催されない可能性がある。ニューヨークタイムズが東京五輪を中止せよと論陣を張り、一年後に延期となった。ドバイの万博も一年延期された。東京五輪の責任者、森喜朗（元総理）は「五輪が戦争時期に中止されたことはあった。いまは戦時である」となんだか来年の五輪も中止するような示唆的発言を繰り出した。

12、動静が伝わらない金正恩。北朝鮮の急変、あるいは崩壊により日本への難民が大量に発生する。百万の難民が押し寄せたら、日本はどうするのか。対策がない。まして難民のなかにはコロナ感染者が多数含まれる危険性がある。

13、産油国でデフォルトが発生し、中東の金融システムが機能しなくなる。これを切っ掛けに世界の資源国、非資源国を問わず、政変に発展する。

14、大規模な地域戦争が勃発し、在日米軍は日本防衛を諦めて撤退する。日米安保条約は事実上、空白状態になる。日本国内では中国の第五列が策動を始める。

概して三つの潮流が明らかである。

第一にグローバリズムの後退、第二にナショナリズムの復権、そして第三に世界のサプライチェーンが改変される。

二月以降、外国との往来がない。つまり日本は鎖国状態であり、むしろこのチャンスを活かす傾向が生まれるだろう。

はたして何か劇的に変わるか？　そして何が変わらないのか。日本はどのような大転換を迫られるのかをこの小冊で追求していきたい。

目次

第一章 百年で最悪の不況

WHAT NEXT

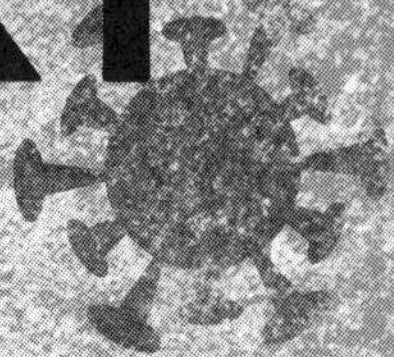

「歴史を振り返ると、物事を根本から覆す事件が時々おこるものだ。戦争がその役割を果たすこと多い。コロナ危機は、まさに戦争のような緊急事態の意識をもたらし、これまで不可能だった変革を一気に進める可能性がある」

ロバート・シラー・エール大学教授『Newsweek』（日本語版）4月28日号

▼短期的変化は一過性である

冒頭では、「これから」のシナリオを短期的には現実のリアルを解析しつつ、中期的展望としてすでに視野に入ってきた近未来の変化を捉え直し、それらを踏まえて具体的で長期的な展望を試みておきたい。

短期的な変化は心理作用が重大な要素であり、消費マインドの激変が現に起こっている。この「心理恐慌」をいかにして克服できるかが国民ひとりひとりに問われる。

ストレスが蓄積され、とくに孤独な生活をおくる人は心細い。話し相手がいないと否応なく不安が増す。子供の場合、日本の教育史始まって以来の長期休暇となって、親のいる家庭ですら、大人達が給与減、レイオフなどの悩みを抱えていれば、そうした保護者の不安が子供に素直に投影され、心が折れて、鬱の状態に陥りやすい。

学校はノルマのように「宿題」を課すが、ほかにテレビ放送、授業動画の配布、デジタル教科書、教材の活用などで代替している。しかし双方向のオンライン教育でない限り、効果は薄い。永田町では一部の議員の間に「日本もこの際、九月新学期として、国際的な制度にあわせると良い」とする伝統無視の議論が始まった。新学期は桜の咲く頃という日本人の季節感、審美観を軽視した議論である。

ＳＮＳでは、見知らぬ相手に悩みを打ち明けたり、犯罪に無防備な状態がある。デジタルアーツ社の調査によれば、小学生高学年の三二パーセントが保護者に内緒の「裏アカウント」をもっている由である。

相手と直接対面しない、仮想空間で、あったこともない人と人生を話し合うという交信空間は新時代ならではの珍現象だが、この傾向は継続されるだろう。戦後日本人はメンタルタフネスを閑却してきたため、コロナ以前ですら「引き籠もり」は七〇万人だった。

米国は逆である。パニックになった時、アメリカ人は治安悪化、暴動をおそれて、まず銃器店に走ってライフルか拳銃を購入したではないか。

感染急拡大の二月以降、日本で日々目撃できたことは何だったか？

マスクの払底と食糧の買いだめ、出前、テイクアウトの大繁盛。ピザや宅配便は配達員を増員した。物流面での需要増が顕著だった。治安対策を説く人は少数だった。

マスクが入手できないため、コロナ以前なら一枚一〇円程度だった使い捨ても、五〇枚が三五〇〇円という高値に跳ね上がって、いわゆる「転売屋」が横行した。

巣ごもり生活を半ば強いられたため、たとえばオンライン英会話「レアジョブ」などと初耳の企業の株価が急騰した。ブラジャーの縫製企業が突起のあるマスクを作り、「砺波野スピリット77」というアルコールは消毒液の代用品となるのでバカ売れ。「Ｚｏｏｍ」という新興企業がテレビ会議の急増で需要が爆発した。

ヨットの帆をつくる横浜のメーカーは医療向けガウンを売りだし、米沢織のマスクは一枚九〇〇〇円もするのに毎日完売だった。株式市場の異変も医療関係と特効薬で臨床検査役の「医学生物」とか、アビガン製造の富士フィルムに話題が集中した。

米国では新薬レムデシビルがコロナ治療効果が証明された。開発元は米製薬企業ギリアド・サイエンシズ。臨床試験で目標を達成し、米国立アレルギー・感染症研究所のファウチ所長は、「レムデシビルには回復までの期間を短縮させる点において、明確かつ好ましい効果があるデータが得られた」とした。米国立アレルギー感染症研究所は、投与された患者の回復期間平均は一一日で、プラセボを投与された患者より三一パーセント短かった。

日本政府は五月三日にはやばやとレムデシビルを特別承認し、国産のアビガンの承認は遅らせた。ほかにも、日本の開発した特効薬はたくさんあるが、承認は遅れており、日本の役所はＪＡＰＡＮファーストではないことが明らかになった。

三密（密閉、密着、密集）がよくないとされて、電車、バスから新幹線まで空席だらけとなった。黄金週間なのに新幹線自由席が乗客ゼロという異常事態が出現した。

繁華街に人通りが途絶え、ホテル、温泉旅館、結婚式場、貸し会議室はキャンセル続きだった。この小冊の追い込みで筆者もホテル（いつも予約が取れないのに、前日申し込んで半額以下だった）を利用したが、館内はまさにゴーストタウンだった。

関連産業も被害を被る。たとえば箱根や湯河原の温泉客が激減すれば、高級食材があまる。マグロや金目鯛といった日頃手が出せない高級魚が、焼津や築地の卸売り市場でダンピングされていた。

反面、学校休校によって公園で子供達のにぎやかな遊び声が聞こえ、家に戻っても学習塾もないから室内ゲーム、ＣＳやネットフリックスの映画鑑賞となり、アニメや映画のＤＶＤが通販で売れた。

コンビニは営業不振だった。対称的にスーパーマーケットは満員。宣伝しなくとも客がくるからチラシも発行しなくなった。なにしろ会社員が通勤しない。勤務はパソコンを前に「テレワーク」なる在宅型に切り替わり、したがってコンビニに寄らなくなるのも当たり前、駅売りのタブロイド判も週刊誌も健康ドリンクもスナックも売れない。

タクシーはがら空き状態、食品の出前配達のタクシー会社も登場した。レストランは休業、大きなビルは閉鎖。社員は在宅勤務とテレビ会議ゆえに居酒屋文化と言われた夜のサラリーマンの行動も控えられ、風俗産業も閑古鳥が鳴いた。政府や地方自治体は休業に協力してくれた企業には補償金をだすとしたものの手続きに時間がかかり、交付を受ける頃には倒産しているかも知れない。

「消費マインド」が萎縮すれば不要不急のモノを買わなくなる。ユニクロは季節ものが売れず、中国で四九〇店舗を休業とした。ユニクロはマスク生産にも乗り出した。

射幸心の強かった中国ですら、グッチ、ディオール、フェラガモ、オメガといった贅沢な有名ブランドはまったく売れなくなった。投資家は株式を売り急ぎ、金（ゴールド）を買おうにも田中貴金属までが店頭販売を自粛する。金が危機に強いという投資の基本を多くの人が思い出した。

旅行に出ないからJRも長距離バスも九〇パーセント減、JALとANAは三〇〇〇億円の融資を申請した。世界を見渡せば豪ヴァージン航空は倒産、英国航空は一万余のレイオフ。アリタリアは国有化。世界の空港駐機場には欠航となった飛行機が「密集」した。

しかしながらこれらは短期的な一過性の現象である。

投資家は夢を託せる企業に投資する。マスク製造は乱立だったが、体温計や血圧測定などは技術が必要、防護服や医療用の器材、人工呼吸器をいきなり作ろうとしても、基礎的な設備とノウハウの揃ったメーカーでないと無理である。

短期見通しは真っ暗である。

米国予算局は二〇二〇年第二・四半期のアメリカのGDPをマイナス四〇パーセント（IMFはマイナス五・七パーセントとしていた）と絶望の数字を予測した。これには投資家が驚いた。民間のシンクタンクならともかく、米国行政の権威ある部門が深刻な数字をだしたのだ。

短期的な重点政策は中央銀行の役目である。中国は資本準備率を立て続けに下げ、市場に利下げごとに八兆円の供給を増やした。

日銀は国債購入上限枠を取り払い、無制限とした。FRBは大規模な金融緩和で三兆ドル！

こうなると従来の金融引き締め議論は何だったのかという疑問も湧いてくる。

▼ワクチン、特効薬は二〇二一年以降

中期的にブームが続くのは運送、製薬、医療機器にくわえてテレビ会議、学校はテレビ授業の普及が継続される。

グーグルCEOのサンダー・ピチャイは武漢コロナが近未来に及ぼす社会的な影響について言及し、「緊急事態が終わっても、世界は以前と同じような姿ではないだろう。そしてデジタル化が急速に進む契機になる」と予測した。

コロナ感染が拡大し、自宅にとどまる人が世界的に増える状況下、検索やユーチューブの動

画、スマートフォン上のアプリ、テレビ会議システムの利用が大幅に増えた。「このような巨大な変化は『コロナ後』も続き、オンライン上での仕事、教育、医療、買い物、娯楽は今後も増えていく」とグーグルは予測している。

在宅勤務という現象が終わっても遠隔地にいて同時会議参加、日々の支店間の営業会議などは重宝がられるだろう。なにしろ安倍政権の閣議もテレビ会議が使われたのだ。

中期展望で、もっとも注目を集めるのは「Ｚｏｏｍ・ヴィデオ・コミュニケーション」だ。通称「Ｚｏｏｍ」は、コロナ以前すでに急成長していた。それが年初来、コロナ感染をおそれての在宅勤務現象によって、株価が二・五倍に化けた。ユーザーは三月で二億人。売り上げ八〇億ドル。

このＺｏｏｍを起業したのは中国山東省生まれのエリック・ユアン（袁征）という中国系アメリカ人だ。八回、米国のヴィザを申請して拒否され続け、ようやくシリコンバレーへ行くが、英語が下手だったので、零細企業にしか就職口はなかった。ひょんなことでシスコシステムに移籍するや頭角を現し、四一歳で独立、テレビ会議用のＺｏｏｍがブームとなった。ただしビデオ情報暗号化データが中国のデータベースを経由している疑問が突出し、プライバシー、企業機密の漏洩が追求された。

当面、売り上げの伸びが期待されるのは特効薬、そして政治的には医療制度の改変、はては保険制度の見直しなどだろう。

日本には一一万以上の病院、医療施設があるが、コロナウイルスの検査ができる機関は限られた。こうした脆弱なシステムの改革には時間がかかる。その上、予算化も伴うが、危機ともなると意外に物事は迅速に進むのが日本的な特徴だ。キッシンジャーが指摘したことがあるように「日本は決断までの過程と時間が長い。だがいったん決まれば、その遂行能力とスピードは早い」のだ。

人工呼吸器の増産は追いつかず、三年はコロナ感染が継続するという予測を前提にすればマスク、検査キッド、保護服、使い捨て手袋、手術用のキャップなどの増産は継続される。

医薬業界はワクチンの開発がすすみ、実験が急がれ、認可される時間も短縮される。

株式市場の回復は感染状況の情勢次第であり、アメリカ人エコノミストらが唱えるようなV字型回復があれば底値で優良株を仕込むのは今だということになる。

米国のニューヨークダウは二月一二日に二九五六八ドルという史上空前の高みにのぼった後、三八パーセントの下落を演じ、その後は半値戻し、三分の一戻しを演じた。同じパターンを描いたのが日経平均である。一月一七日に二四一一五円という年初来高値を演じた後、三二パーセントの下落。そして半値戻し、三分の一戻しとなって六月相場にもつれ込んだ。

しかし最も注目すべきは政治の在り方にスピードが出たことである。

政策決定を遅らせてはならないという暗黙の合意ができた。これまで数ヵ月を要した予算審議、各官庁の利益のぶつかりあい、有力政治家のごり押し、その調整に手間取った上、反対のための反対しか能がない野党の議事進行遅延など、「稟議・審議に時間がかかりすぎ、無駄の多い時間空費」が叫ばれてきた。

これが所謂「日本型政治」だった。決断が鈍く優柔不断の政治家でも首相がつとまって、「御輿はかるくて莫迦がよい」と揶揄されても一向に改善されなかった。

財務省の思惑が予算の決定権で強くあらわれ、ほかの官庁は二流扱いをうけたのも財務省の予算最終決定権だった。ところがコロナ以後、補正予算は一晩か二晩できまり、異例の追加補正はすぐに決定し、野党の反対がなかった。なぁんだ、やれば出来るじゃないか。換言すればこれは財務省の敗北である。

それにしても、なぜ日本の疫病対策が、台湾や香港に比べて、後手後手になったのだろうか。それを突き詰めていくと、日本にインテリジェンス不足という欠陥があることが判明する。

日本にも内閣調査室、公安調査庁、国家安全局があって、たしかにこれらの機関は情報を集めるが、それだけである。対外工作を展開する部署ではない。日本にはＣＩＡに相当する国家機関がない。

台湾と比較すればよく分かる。中国内部にアンテナを持ち人的な情報網をもつ台湾は昨師走の段階で疫病の発生情報を抑えており、対策をはやくから準備していた。日本は中国国内にさえ、駐在や大使館員もいるけれど、情報のアンテナを持っていない。企業はバラバラ、大使館は能なし、なにしろ商社あがりの大使がとくに無能だった。

だから旧正月に中国人観光客をシャットアウトすべきだったのに、九二万人も受け入れてしまった。

江崎道朗『インテリジェンスと保守自由主義』（青林堂）はこう言う。


適切な政治判断をするためには、正確な情報が必要なのです。

ところが日本には、海外に「協力者」「情報収集担当官」を送り込む「対外」インテリジェンス機関は存在しません。

（中略）このため、中国肺炎について中国の言い分を検証する力が弱かったと思われます。（中略）圧倒的にマンパワーが足りません。


とりわけ、重要なのはこれからの経済政策である。

経済政策に失敗すると、全体主義、共産主義が台頭することになりかねません。（中略）経済政策の失敗と不況が、共産主義やニューディール政策という擬似国家社会主義の台頭を生み、結果的に東側に一党独裁の全体主義政権群を生んでしまったわけです。

として、この失敗を日本は教訓としなければならないと江崎氏は力説される。

しかし、日本の最大の欠陥はGHQが旧「内務省」を解体してしまったことに起因する。警察を管轄する、治安、土木事業を管轄し、情報組織を管轄する、アメリカで言えば国土安全局、あるいは統幕本部が、戦前の日本では内務省の役割だった。しかも内務省は疫病対策にも威力を発揮した。初代内務卿は大久保利通。以後、内務官僚には後藤新平、奥野誠亮、秦野章、後藤田正晴、吉田茂、鈴木俊一、灘尾弘吉ら、有能な官僚を生み、日本をリードした。内務大臣は副総理格だった。当時のエリートは大蔵省へ行かず、内務省へ行ったものだ。

そして内務省は疫病対策の本部にもすぐ移行した。疫病の発生情報、原因の究明と、予防薬、治療薬の開発促進と援助もさりながら、国家機関を有機的にまとめ、制御し、統率する立場にあった。だからGHQは内務省を目の仇として、警察をバラバラに解体し、警視庁は東京だけの警察となり、軍隊は解体され、防疫の先端にあった七三一部隊を資料人材ともにかっさらっていったのだ。

これが本当の意味で日本の制度上の欠陥である。

国際政治の視点から見ると、世界中で勃興したアンチ・チャイナ旋風、四面楚歌の中国は立て直しに懸命だが、国際社会は中国の弁明、反論をもはや受けつけない。

とくに医療品の寄付と表裏一体で進むマスクなどの押し売り、大半が不良品で突き返されたがテンと恥じない。中国の唱えた一帯一路プロジェクトにうっかり乗って「借金の罠」に陥落した国々では強烈なアンチ・チャイナ感情が爆発した。一帯一路は世界中で明確に挫折中だが、それが明らかになるにはもうすこし時間がかかるだろう。

国際経済面でいえば中国が基軸のサプライチェーンから日本企業も米国も抜けだし、台湾企業は米国への協力を明瞭に示している。反米、反日、親中、親北の韓国は完全に取り残されるだろう。

▼最大の意識変化は人生観、死生観の変化だ

長期的にみれば、文明の変質、そして思想の激変が起こる。

経済の崩壊、病院の崩壊などとメディアは騒ぐが、基底にある最悪のシナリオは文明の崩壊

である。それを食い止める英知が試される。秩序と価値観が破壊され、新しい秩序と価値観が構築される。そういう指導者が出てくるはずである。

絶望のどん底に陥落すると、思想、哲学のレベルで新しい思想が誕生する。

また文学も同様に閉じこもりの表現空間から、あるいはグローバルで、無国籍で、地球市民的発想の作品群は廃れる。かつて三島由紀夫は「芭蕉も西鶴もいない昭和元禄」と言ったが、さしずめ現在は「川端も三島もいない令和元禄」か。文学、音楽、芸術はナショナルなものへ復帰し始めるだろう。

中世のペスト（黒死病）は結果的に、ルネッサンスへの導火線となった。コロンブスのアメリカ大陸の発見で、欧州から南北アメリカ大陸へわたった天然痘は、現地人をほぼ死滅させ、逆に南米から伝染した梅毒は大航海時代の大船によって日本にも運ばれた。この結果が効率的生産を必要とした産業革命へとつながり近代化の波となる。

ルネサンスも産業革命も文明の在り方を変えた。

これからの世界を長期的に見渡せば、多くの産業で勤務形態に大きな変化が生まれるだろう。だが留意しておくべきは産業革命が起きても、鉄道沿線では昔ながらの農耕が、牧畜が営まれていたことである。

第一次世界大戦後、スペイン風邪の被害は日本にも及んだ。当時、内務省衛生局がまとめた記録は一九二〇年から始まる。日本で最初の国勢調査が行われた。

人口が五六〇〇万人、スペイン風邪の感染者は実に二三八〇万人だった。死者が三八万八〇〇〇人にのぼる凄まじい犠牲が出た。女子中学ではマスクを授業中にもつくり、篤志家や成金は寄付行為をきそって無料診療所から無償給食をなし、挙国一致で対策に当たった。

文明の衝突などとジャーナリスティックな比喩はしたくないが、これまで世界政治の流れでもあったグローバリズムは廃《すた》れ、各国が自国ファーストの路線に傾く。国民国家があらためて重要な単位として固まる。野放図だった自由は、かなり規制される。

そのうえで人生の価値観が変わることも視野に入れておくべきだ。この詳細は第五章に譲る。

このような社会の到来前に考えるべきは家族制度、冠婚葬祭のあり方、死生観の是正、日本の伝統的哲学の再構築ではないのか。

戦後の日本はGHQの占領政策の影響が大きく、従来の価値観の転倒が起こり、家族制度大きく変貌した。結婚の伝統も欧米的な即物的な儀式に変質し、日本的良さは喪失された。死生観の激変によって死＝無という考え方が拡がった。仏教への帰依が希釈化したからだ。基本の横たわるのは「死は無」という誤解だらけのニヒリズムの蔓延である。人生をいかに活きるかが説かれても、いかに死ぬかは無視されがちだった。

「人生において何が本質的に重要なのか、いまの仕事が何かに貢献しているのか」という思考が見失われ、ある種の達成感や人生の満足感をもって死を迎えるという人間が少なくなった。そうした思考をもっと突き詰める傾向が生まれるだろう。

▼ペスト、そしてルネッサンス

ペスト（黒死病）の発生は紀元前にさかのぼり、その後、何回か世界的に大流行した。14世紀からの世界的大流行は、モンゴル帝国より欧州へ遠征軍とともに入り込み、ヨーロッパ全人口の三〇～六〇パーセントが死んだ。感染すると内出血により皮膚が赤黒くなるので黒死病とも呼ばれた。

その際、ユダヤ人が感染源という風説が流され、このとき夥《おびただ》しいユダヤ人が殺害された。カミュの『ペスト』では、神の元に跪けば災禍は去ると人々は信仰に帰依する現象を活写した。その一方で、神は偉大ではないとして宗教改革の火蓋が切られる。

もともとはチェコのフスが火あぶりに処せられた時から権柄ずくで偽善的なカトリック教会への不満はあった。のちには魔女狩り、異端裁判という狂信と熱狂もあり、カントは『純正理性批判』を著述した。そしてニーチェは「神は死んだ」と真っ向からキリストを否定した。従来的価値観が否定されたのだ。

疫病による社会の壊滅からルネサンスへの道が示され、人間復興ということはエロスの賛美にも繋がる。天才ミケランジェロなどが輩出した。

つまり伝染病大流行のあとに起きた巨大な変化は哲学思想の復活を伴ったのである。

ルネッサンスとは「復活」「復古」を意味するラテン語である。古代ローマ、ギリシアの文化に帰ろうとする文藝、音楽、絵画、芸術と広範な文化面での復古運動である。

日本では何故か「文芸復興」と翻訳されている。たしかに文学ではダンテ、ボッカチオ、マキャベリらが輩出した。絵画、彫刻ではダヴィンチ、ミケランジェロ、ラフェエロ、ボッティチェッリらが輩出し、キリスト教の源流の戻ろうとする流れが基礎だった。


この文脈から考えられる事態は、むしろイスラム教社会であるかも知れない。イランもインドネシアもモスクの礼拝場という密集から感染が広がったわけでアラーの神は全能ではないという懐疑が起こると、イスラム社会にも「イスラムの改革」をとなえる現代版ルターが登場することになる。

コロンブスはアメリカ大陸をインドだと間違えて発見したが、大航海時代の幕開けは同時にペスト災禍を生き延びたヨーロッパ人が南北アメリカに移民し、天然痘という疫病をもたらした。とりわけアステカ、インカ文明を滅ぼしたスペインは天然痘を随伴してきたため、九〇パーセントの現地人は天然痘で死滅した。免疫がなかったからだ。

これではスペインとして植民地支配が達成できないために、アフリカ大陸へ行って人狩りを行い奴隷として酷使する。

逆に南北アメリカから持ち帰ったのは梅毒だった。欧州ではペストが去って梅毒が急増し、やがてポルトガル船が宣教師や交易品とともに日本にやってくると、未知の伝染病だった梅毒に冒される日本人が急増した。

ふたつのフィクションをここで思い出した。いずれも映画化された。

『ジュラシック・パーク』の大ベストセラー作家マイケル・クライトンの『アンドロメダ病原体』は、半世紀前の作品で一九六九年に出版された、クライトンの事実上のデビュー作である。

物語のあらすじを説明すると、米国で秘かに進行していた「スクープ計画」は、「宇宙空間の微生物を回収し、新しい生物兵器を作り出す」ミッションだった。

その人工衛星がアリゾナ州の「ピードモント」という砂漠の街に着陸した。すぐに回収部隊が向かうと町は深い沈黙のなかにあって、人気が感じられない。「誰かがいる」という報告の直後、部隊からの連絡が途絶えた。

司令部は偵察機を発進させてピードモントを空中から撮影、住人ならびに回収部隊の隊員がひとり。ほかは死滅していた。あとで判明するがもう一人の生存者はうまれたばかりの赤ん坊だった。

深刻な事態を認識したマンチェック少佐は、「ワイルドファイア」という警報発令を上層部に上申した。

この「ワイルドファイア」とは「地球外生物がもたらされた場合、その生物を調査・分析して地球上での伝播を防ぐ」目的の計画と実行機関で、研究施設はネヴァダ州の砂漠に建つ農業試験場の地下にあり、地上と隔離されている。万一、その生物が流出するような事態が起こった場合は自爆用の核爆発装置まで設置されている。

砂漠の街の住人たちは全身の血液が凝固する謎の症状によって死亡していた。当該衛星は医師の元に運び込まれ、蓋が開けられていた。生存者のうち一人は胃潰瘍を患っていた飲酒家の老人、もう一人は生後二ヵ月の乳児だった。対称的な生存者の条件から対処法が見いだせないか。

菌の消滅には核による焼却を要請するが、政府は州兵を展開して当該地域の封鎖を行った。ノーベル賞級の研究員たちがワイルドファイア研究所に集結した。未知の微生物を衛星内部で発見して調査研究を展開した。

▼感染の元凶地帯を爆破せよ

ダスティン・ホフマン主演の映画『アウトブレイク』は一九九五年に公開された。これはパンデミック映画の古典的地位を占めていると映画評論家が批評した。

ザイール（現在のコンゴ民主共和国）の傭兵部隊に原因不明の出血熱が流行し、夥しい死者が出た。現地に急派されたアメリカ陸軍は感染者の血液を採取した後、援助物資と偽った燃料気化爆弾を感染地区に投下した。汚染地区を感染者もろともに壊滅させたのだ。

その後も付近の村で、未知のウイルスによる出血熱が発生、伝染病等から防疫する専門家チームが派遣される。しかし時既に遅く、村の医師と祈祷師を除いて全滅していた。空気感染は無いとしながらも、ウイルスの致死率の高さ、死に至るスピードに驚く。

同じ頃、アフリカから一匹のサルがアメリカに密輸入された。売り先がなく密輸業者はサルを森に放った。

次々と発症し死亡する事態となって、飛沫感染による爆発的感染が始まってしまう。この伝染病が以前モターバ川流域で派生した伝染病と同じだった。あのとき持ち帰った血液は、密かに細菌兵器として保管され、血清も作られていたというハッピーエンド型だが、映像の場面は感染爆発の恐怖などリアルに描かれていた。

ほかに『コンティジェン』（スティーブン・ソダバーグ監督）という映画は中国起源のウイルスがコウモリから子豚に感染し、中華レストランのコックへ。そのコックと握手した人物が米国にウイルスを持ち込み、パンデミックとなってスーパー襲撃、都市封鎖。この映画、武漢ウイルスの感染ルートに酷似していて不気味な予言的映像となった。

いずれも今日の事態を予測していたような作品なのである。

ハーバード大学の専門家による調査チームが「これから」の最悪シナリオを提示した。武漢コロナ、もしくはチャイナウイルスの感染は拡大し続け、間歇的に数次にわたる感染が繰り返され、二〇二二年まで続くだろうと予測した。

もし終息したとしても局所的に留まる可能性があり、また局地的な伝染が起こるだろうから二〇二四年まで持続することになると禍々しい予測を展開したことはなんともやりきれない気持を抱かせる。いずれワクチンが発明され、また医療手段、装置などが劇的に改善されたとしても、第二次感染、第三次感染が起こり、向こう三年は続くというのだから悲観的である。

「これは第二次世界大戦以降、世界が対峙する圧倒的に最大の危機であり、一九三〇年代の大恐慌以来最大の経済的惨事だ」と著名コラムニストのマーチン・ウルフが英紙『ファイナンシャル・タイムズ』（二〇二〇年四月一五日付）に書いた。ウルフはこう続けた。

「世界は大国が分裂し、政府の上層部が恐ろしいほど無能な状態でこの瞬間を迎えた。我々はいずれこの局面を通り過ぎるが、その先には何が待ち受けているのか。多くのことが依然、不透明だが重要な不確実性のひとつは、近視眼的な指導者たちがこの世界的な脅威にどう対応するかにかかっている」

▼戦争という最悪中、最悪のシナリオ

待っているのは戦争かも知れない。四月二一日付のロシア紙『プラウダ』が書いている。

「『OPECプラス』(OPECにロシアが別枠で参加)の原油生産削減でも価格は上がらなかった。原油価格を元に戻すには戦争しかあるまい(傍点筆者)」

ロシアの石油関係者は低迷する原油相場を情緒的な心理相場と捉えている。

しかし在庫がたまりすぎて備蓄タンクは満杯に近く、洋上で待機するタンカーに積み込まれた原油だけでも一ヵ月以上の量である。二〇万トン級のタンカーが洋上で、備蓄タンクが空くのを待っている。すなわち洋上備蓄である。米国ではシェールガスの生産が事実上停止しており、労働者がレイオフされ、トランプ大統領は給付金、補助金などありとあらゆる手だてを講じて、この輸出のドル箱産業を守ろうとしている。

ロシアが想定する戦争は中東地域で勃発する地域騒乱、局地戦のことで、中東で揉め事が起きれば必ず原油価格は上昇した。ロシアはそのことを期待しているのか。

日本政府は四月八日になって、ようやく「緊急事態宣言」を発令し、同月一六日には適用範囲を全国に拡大した。さらに五月四日には一ヵ月程度の延長要請、五月二六日に宣言を解除した。合計すれば「巣ごもり」は二ヵ月となる。

リーマンショックによる景気後退の比ではなく、こうなると世界同時恐慌となる。五月二二日までの推定で世界全体の損失は九〇〇兆円！（日本のＧＤＰの二倍近い）

戒厳令、都市封鎖という手段も考えられた。しかし日本人の多くがハタと気がついたのである。現行憲法の下では戒厳令の規定どころか、非常事態宣言の法律的淵源がないのである。都市封鎖など法律的には出来ない相談なのだ。

欧州や中国では迅速に「都市封鎖」という緊急措置がとられた。ユーラシア大陸に普遍的な発想である。

なぜか。チンギスカーンの世界帝国は、中央アジアを横切って欧州まで進出し、制圧したが、途次のオアシス都市を圧倒的な軍事力で陥落させ、征服後は服属させて帝国の版図に入れ、膨張を続けた。歴史上初めての世界帝国「パックス・モンゴリア」である。

それでも蒙古軍の攻撃に数年間持ちこたえたオアシス都市の代表がブハラだ。古代から砂漠のオアシスとして栄え、交易の拠点でもあった中央アジアの諸都市のなかで、とくにブハラは商業にすぐれたソグド人が入植してから商業の中心地となった。天文学も発達したサマルカンドとともに栄えた。このブハラが城塞都市の典型、そして都市封鎖のモデルケースである。

現在のウズベキスタンは観光に力をいれているが、イスラム教寺院が、実は城塞のなかにあり周囲は壁をめぐらしていた跡が歴然と残る。

中国にあっても古代からの都市は城塞であり、その城塞都市の典型が西安だ。そのミニチュアは客家が広東省の山奥に築いた客家土楼である。城のような家屋は四、五階建て、広い中庭に畑があり、牧畜も行われていた。籠城線に耐える建築思想が基底になる。

「城塞」とは、籠城戦の経験からきていて、日本では秀吉が行った鳥取城、三木城干し殺し、備中高松城水攻めくらいしか例はないけれども中国史では普遍的であり、欧州でも城、城、城。

武漢コロナのアウトブレイクで、米国はニューヨークを封鎖した。イタリアはミラノ、トリノなど北部都市を封鎖した。戒厳令下、通行人を拘束し罰金刑に処した。発想はチンギスカーン時代と同一線上である。

スペイン風邪の日本での死者は四五万人と推定される（速水融『日本を襲ったスペインイン

フルエンザ　人類とウイルスの第一次世界大戦』藤原書店）。

スペイン風邪の場合はアメリカ軍兵士説、元凶は中国、そして渡り鳥が原因とされるが、今回の武漢コロナと似ているのは、ウイルスが変異を繰り返し、凶暴化していったことだ。スペイン風邪は感染が広がる度に毒性を増し、第二次感染が始まり、戦争の前線にいた兵士およそ八万人がばたばたと死んでいった。この第三次感染が日本にも伝播し、夥しい死者をだすこととなった。

武漢コロナは中国から南欧へ飛び火した時点で変異したと考えられる。日本や東アジアに流行したのは「S型」とされ、欧米で変異して「L型」となった。

イタリア旅行帰りが帰国した北欧にまで拡がり時間差を経て、ニューヨークへ上陸した。米国では四月二五日に五万をこえる死者、五月二六日にはついに一〇万人を超え、英国の死者も五月五日に二万人とイタリアを抜いた。猛スピードの凶暴性が浮き上がった。

▼人工の生物兵器だったのか

リュック・モンタニエ（フランスの生理・医学ノーベル賞受賞者）は、ＨＩＶの発見で有名な医学者だ。

そのモンタニエ博士が武漢ウイルスを「人工ウイルス」とほぼ断定するに至って、中国の武漢の生物化学兵器研究所から漏れた説が欧米では確実視されるようになった。全米の対策責任者、ファウチ博士は、この説に基づいていないが、多数派は中国元凶説で固まった。

五月四日、ポンペオ国務長官は「確実な証拠をもっている」と発言した。中国は、ポンペオ攻撃に余念がなく、五月になると「ポンペオは悪魔だ」と言い出した。

欧米列強の政治家らはこの見解で足並みを揃えた。日本も「新型肺炎」とかの曖昧な表現をやめ、中国元凶説を主張しなければ正確な事態の掌握ができないとの主張が方々で見られる。

武漢ウイルスはキクガシラコウモリが媒体といわれた。ところがＳＡＲＳウイルスの配列とすこし異なるとしたのがインドの学者だった。

むしろＨＩＶの配列に酷似しているため人工の遺伝子が人工的に混入され、人に感染しやすくなった可能性ありとしたのはコロラド州立大学の杜祖健・名誉教授だった。げんに武漢に中国科学院ウイルス研究所の石正麗自身が、論文でそのことを示唆していた。いまは削除されており、石正麗その人も五月下旬まで所在が不明だった。

米国では生物兵器説が強いが、肝心要の米国家情報長官室は「人工のものでも遺伝子操作されたものでもないとの科学的な総意に同意する」とした（四月三〇日）。

「起源」に関しては感染した動物との接触か中国湖北省武漢市の研究所で起きた事故なのか、

調査中であるとした。

フランスのパスツール研究所などもコロナの人工説に疑問を呈している。真相は西側の調査団を武漢の当該研究所に調査させることで究明できる。ところが中国がかたくなに拒否しているために人工ウイルス説がどんどん拡大していくのである。

ボリス・ジョンソン英首相がコロナに感染し、一時危篤状態だった。メルケル独首相は「ドイツ国民の六〇パーセントが感染するだろう」と不気味な予告、死亡数が世界一となった米国は戦略変更を余儀なくされる。

つい昨年まで中国主導のＢＲＩ（一帯一路）を経済梃子入れと期待したのがスペイン、イタリア、フランス、英国、ドイツだった。

中国は「健康のシルクロード」などと獅子吼して医療チームを派遣し、マスクを寄付する欺瞞外交を展開したが、欧米ばかりか世界ではチャイナ・バッシングの嵐。「健康シルクロード」は「コロナ・ロード」となった。

中国の野望だった一帯一路プロジェクトは大音響と共に各地で崩壊した。

同時に中国の負債が九九〇〇兆円から、まもなく一京円を突破する。これは同時にアジア各国に激甚なる経済破綻の波となる。しかし重視すべきは、このコロナ災禍で国際政治の大変革が起こり、地政学的にはパックス・アメリカーナ（米国の一極支配）の大後退が予想されることである。

ならばその空白を、中国の軍事力が進出して代替するかと言えば、NOだ。中国自身、世界でいかに孤立しているかを知っている。バッシングの風当たりが強烈なことも知覚している。

極東に限って言えば、北朝鮮がICBMを保有しない限り、トランプは北朝鮮を攻撃する可能性はないし、台湾を守ると言っても、本気かどうかは疑わしい。

というのもトランプ大統領のみかわ、だれがなろうともアメリカは軍事的な世界関与への関心をなくしつつあり、戦略爆撃機基地をグアムから米国本土中西部に引き揚げる。虎の子の空母や駆逐艦など四隻の乗組員がコロナに感染し、物理的な作戦行使が難しくなった。米海軍の戦略展開が一ヵ月にわたって機能不全に陥ったのである。

一方で中国はステルス型の戦略爆撃機「H20」を完成させ、一一月の珠海航空ショーでデビューさせる予定だと『サウスチャイナ・モーニングポスト』(五月四日付け)が報じた。本当の話か? そもそも一一月に航空ショーなど開催できるだろうか?

第一にステルス型、つまり忍者のように敵レーダーから逃れて長距離を飛行できるシロモノを中国が保有したことになるが、この話がもし本当なら、日本の米軍基地からグアム、フィリピンをこえての攻撃が可能になる。

米軍は既に空母をグアム以東へ戦略的後退させており、ステルス爆撃機B32など、本土中西部のノウス・ダゴタ洲の空軍基地へ移管する。

第二に原潜、ＩＣＢＭにステルス型戦略爆撃機が加われば核戦力の三点セットが揃う。アメリカの軍事専門筋は「性能が悪く、まだまだ」と評価しているらしいし、原潜にしても、水中発射ＩＣＢＭを保有したとされてから既に一〇年以上たつが、性能は立証されていない。

第三に超音速、巡航航続距離八〇〇〇キロを実現したエンジンは、それではどこのモノか、中国国産ならＷＳ―10の改良型。あるいはロシア製ならＮＫ３２１エンジンだろうとされる。

これらに対抗するには、米国が日本と韓国に供与するＦ35合計二〇〇機と、今後供与を予定しているインド、シンガポール、台湾などのＦ35×五〇〇機の迎撃態勢が構築できれば、中国の空の横暴を抑止できる。封じ込めると米軍関係者は見積もっている。

▼未知で正体不明だから怖かったのだ

未知なる不確実性、霧はまったく晴れない。未知ゆえに恐怖心理が輻輳する。未知であるがゆえに恐怖に震えるのである。

しかしこれまでにほぼ明らかになったことは、武漢コロナはインフルエンザウイルスと同様に飛沫感染と接触感染に起因し、類似のウイルスとしてＳＡＲＳ、ＭＥＲＳがある。感染者の致死率は日本では二パーセント。SARSは一四パーセント、MERSは三四パーセントだった。後者二つと異なるのは地域限定ではなく地球的規模で拡大し、またスピードが早かったことである。

しかしSARS、MERSと比較すると、それほど恐怖のどん底を慨嘆するレベルではないようである。

「コロナ以後」の世界は変革（もしくは改悪）に遭遇し、未知の不確実性に蔽われたまま霧の中での新しい試みが始まった。

米国のシンクタンク「全米アジア研究所（NBR）」上級顧問のニコラス・エバースタットは、「中国基軸のサプライチェーンは編成し直しとなって、現在世界のGDPの六〇パーセントを占めるAPECにインドを加える巨大経済圏が次を指導する」と予測している（『NBRレポート』四月一八日）。

三月の段階で「イースター（四月一二日）までに解決する」とトランプ大統領は極めて楽天的だった。被害の想定を四月初旬まで楽観的にみていたウォール街も経済学者らも、米国を筆頭に欧米で死者が戦争並みの犠牲を越えていることに愕然とした。アメリカの死者は朝鮮戦争での犠牲者の数を凌駕した。

それまでに被害想定を低く、小さく、楽天的に数字を想定していた。被害はとうに香港風邪の規模を越え、チェルノブイリを越え、死者の数は広島の原爆犠牲者を超えた。現在は「クリスマスまでに」という標語だが、これも危なくなった。

現実は感染者の急拡大、死者の鰻登りの悲惨な数字が並び、柩も足りず、死体置き場もない。外出が禁止され、ビルは封鎖され、スーパーへ買い物に行けば行列は二メートル間隔。米国の失業率、四月初旬の二二〇〇万人は一九三一年レベル（一五パーセント）。四月末には一九三五年レベル（二〇パーセント）、そして五月には一九三三年の最悪レベル（二五パーセント）となる。

チャールズ・キンドルバーガー教授に代表されるように一九二九～一九三三年の「大恐慌」の反省はなされ、研究が進んでいたため、何が失敗の原因であり、何をしなければならないかを事前学習している。

大恐慌の研究で知られたベン・バーナンキは先々代ＦＲＢ議長だが「ヘリコプター・ベン」（略称「ヘリベン」）の異名をとった。財政をばらまき、通貨供給の流動性を高める金融通貨政策を採用した。今回の米国政府の対応も大胆な財政出動だった。欧米、日本、オーストラリアも追随しての国際協調は西側の連帯を金融関係では強めた。

しかしコロナ災禍の「長期化」が確実だから、再々の金融財政出動にいずれ資金が枯渇するだろう。

となると、主要通貨も破綻する危険度が増し（ブラジル、インドネシア、マレーシアなど途上国の通貨相場はコロナ以後、暴落している）、社債など債権の紙くず化、そして「徳政令」の出現があるだろう。いや、現在の給付金や企業への貸しだし、家賃や保険料の延滞容認など、見方を変えれば徳政令に似ている。

通貨の崩壊は歴史的に繰り返されてきた。

戦後、日本でも「猛烈インフレ予防」を名目に、突然「新円切り替え」があった。従来の預金が紙くずとなって、国民は絶望の淵に立たされた。旧円なら一〇万円で一軒家が買えた時代から、一〇倍になった。

具体的には昭和二一（一九四六）年二月一六日、金融緊急措置例が発令され、すべての預金が封鎖された。世帯主は五〇〇円まで個人は一〇〇円まで預金から引き出しが出来たが、のこりをゼロとしたのだ。筆者の生まれる前のことなので実体験はないけれども、子供の頃、親から耳にたこができるほど聞かされた。歴史的にみても「通貨暴落」によるハイパーインフレは世界中で繰り返された。

近年の典型はロシア、ジンバブエ、そしてベネズエラで現在進行中である。

ソ連崩壊の前後、筆者は毎年二回ほど、モスクワへ通っていた。『ソ連の没落』などの拙作の取材である。ソ連崩壊前、外国人旅行者には強制両替があって、一ルーブルが二四〇円という、人工的に高い為替レートが設定されていた。町へ出ると闇ドルが主流だった。闇両替屋が町の辻々に立っていた。チェチェン人やアゼルバイジャン人が多かった。すぐに一ルーブルが六〇円に下落し、ボリショイ・サーカスはこの頃、入場料が一ルーブルだった。間をおかずに一円となって、たとえばクレムリン博物館など公けの売店へ行くと、このレートだから、おどろくほど外国人からみれば物価は安かった。民間の商店では闇レート換算だった。

新生ロシアに生まれ変わると、一ルーブルは一二銭のドン底を記録した。二四〇分の一に減価して、新ルーブル札といれ替わった。その新ルーブルも、一ルーブル＝六〇円でスタートし、現在（二〇二〇年六月一日）は一円五三銭である。

ベネズエラは原油価格の崩落が引き金となって通貨価値が崩壊した。カラカスのスーパーでは医薬品も、トイレットペーパーも棚になく、ラム酒の値段が月給の五倍とか、国民はもはや生活は成り立たないと、コロンビアか、ブラジルへ逃げた。ベネズエラの経済難民、実に四五〇万人。それでもマドゥロ大統領は権力の座に居座り、中国は素晴らしい、中国が必ず助けてくれると、放言し続けている。

ジンバブエでは二〇〇八年八月から、翌年一月にかけて、五〇〇〇ドル札（八月）が、二万ドル札（九月）、五万ドル札（一〇月）、一〇〇万ドル札（一一月）、ついで面倒とばかり、一〇〇億ドル札(一二月)、そして二〇〇九年一月に一〇〇兆ドル札となった。万が、百万から億、そして兆と、毎月単位が切り替わったのである。そしてジンバブエ・ドルは自国通貨の発行をやめ、米ドル、ユーロにくわえて中国人民元が法定通貨となった。インフレ率は月間二六〇〇パーセント、年率で二億三一〇〇万パーセントと、史上空前の記録を作り上げた。朝、五〇万ジンバブエ・ドルで買えた石鹸が、夕方には一〇〇万ドルになっているという話ではない。店に入ったときと、その店を出るときの値段が倍になっていた例もあった。

ワイマール共和国下のドイツ。リヤカーに札束を積んで買い物に行ってもコッペパンひとつしか買えなかった。いま、同じ光景はラオスで見られる。なにしろ一〇〇米ドルに相当するラオス通貨は段ボール箱一杯分くらいになるのだ。商店主がいかなる対策を取っているか。売り上げをすぐさま「金ショップ」に運び込み、金製品に交換して、毎日、毎日、ラオス通貨の崩落と戦っているのである。

五月二二日にアルゼンチンは金利を支払えずデフォルトとなったが、世界はまたか、と驚きもしなかった。アルゼンチンのインフレが年率三〇〇〇パーセントだった頃に、知り合ったアルゼンチン人に「どうやって生活しているのか」と聞くと、「なにね、すぐにドルに替えておくから大丈夫さ」と答えたものだった。

自国通貨が崩壊してゆく悲劇。ハイパーインフレを伴う特徴があり、だから中国人が何をしているか、これまでにも何をしてきたかを検証すれば良いのである。

一九九〇年代は、外国人とみると「カンピー、カンピー」と叫んで近付いてきた。カンピーとはタバコのピースの函ではなく、港幣《カンピー》（香港ドルのこと）だった。スナックへいって現金で支払うと言うと、「できれば日本円かドルで」と言われた。

昨今の中国で、とくに中産階級はどのような行動を取っているか。第一にドルに換える。第二に金に換える。第三にロレックスを買う。第四、ビットコイン。これまでの不動産投資に手を出さなくなったのは不動産暴落がせまったことを肌で感じているからだろう。

権貴階級（党幹部ら特権階級）は、第一に外国に隠し口座。第二に外国に不動産購入。第三にキャッシュで貯めるのは米ドル、もしくはユーロ、日本通は日本円。そして香港ドル、シンガポールドルに加えて、おどろくべし台湾ドルでも保有している。何かが起こる。不吉な予兆がある。だから中国人は言うこととは裏腹な行動に出るのである。

しかもコロナ災禍による大恐慌は、世界同時多発的なのである。

特効薬の発明があっても途中で数回の感染揺れ戻しが繰り返されるだろうから、収束には二年以上の時間を要することは確実である。

幸いなことに世界の列強（隠蔽の得意な国を除く）の指導者は、テレビ会議で意思の疎通が図れるような時代であり、また情報伝達は瞬時にして世界同時、情報の遅れで対応が決定的に遅延するという政策ミスは少なくなった。

社会生活はパニックに襲われた。

正確な情報が伝わらないが、アフリカ諸国、アジアの辺境、中東の最貧国の被害が凄まじい災禍となるだろう。あまつさえ先進国が支援するような余裕がない。医師団の派遣も医薬品の寄贈もままならず当該国家に対策を任せることになる。


消費の落ち込みは確実にGDPを押し下げる。

IMFは、四月予測ではまだ楽観的に、世界経済はマイナス三・三パーセント、日本がマイナス五・九パーセント、アメリカがマイナス五・二パーセントなどという予測を出していた。だが筆者の見るところ、日米でマイナス一五パーセント〜二〇パーセント、中国はいきなりのマイナス五〇パーセントとなっても不思議ではない。

げんに二〇一九年度第四・四半期の日本のGDPはマイナス七・一パーセントだった。中国は初めて二〇二〇年第一・四半期のGDPをマイナス六・八パーセントと公表した。中国の数字は率直に言って信用できない。とくに中国の場合、その数字を五倍か一〇倍にしなければ実態にそぐわない。

五月二二日から開催された全人代、冒頭は李克強首相の経済報告だが、とうとう二〇二〇年度のGDP成長率目標値が提示されなかった。どう足掻いてもマイナスに陥落は明らかであり、五月時点でのGDPは最小に見積もってもマイナス二〇パーセント以上だろうから、中国共産党は数字を掲げないという挙に出た。他方、軍拡だけは内外に明示して、プラス六・六パーセントを公表する無神経。そして香港の自由を圧殺する「香港安全条例」を採択し、特殊公安部隊を香港に設置することなどを示唆した。

前述のように、豪ヴァージン航空が破産申請した。米国高級デパート「ニーマン・マーカス」と大衆向けの「JCペニー」が経営破綻に至り、すでに中国、香港から旗艦店を撤退させているプラダ、フェラガモなどの有名ブランドも経営危機に陥る可能性がある。五月四日には全米五〇〇店舗の衣料品チェーン「Jクルー」が倒産、休業に入った。

パラダイムシフトが起こると、日常生活では食糧買いだめ、備蓄と医療出費が家計の優先課題となり不要不急のものには見向きもしなくなるからだ。

消費マインドが唐突に変化すると、それが原因で倒産する企業も多数出る。バブル時代に紳士淑女は高いカルチェやダンヒル、デュポンのライターを持っていた。百円ライターが主流となったいま、誰が使っているのか。国際空港の免税店では目玉のコーナーから消え、いまや何処にも売っていない。

同様にグッチ、ディオールなどの高級品、あるいは自動車にしても、実用車、SUVは売れ続けても、高級車は敬遠されるだろう。

パラダイムシフトの行き着く先はまだ濃霧の中である。

▼空の旅客復活は三年かかるだろう

九・一一テロ以後、飛行機に乗るのが怖くなったアメリカ人は「空の旅」を敬遠するようになった。このため米国では航空便の復活に三年を要した。リーマンショック以後、景気が落ち込み、全米で住宅産業が復活するには五年の歳月が必要だった。この空白期に、従来の発想になかった新型ビジネスのGAFA（グーグル、アップル、フェイスブック、アマゾン）が産業界を、そしてウォール街を牽引した。

実にGAFAという爆発的な技術革新と通信革命の主役があってこそ米国経済は飛躍できたのだ。

バブル崩壊後の日本では「失われた一〇年」がそのまま自動延長され、まもなく「失われた三〇年」となりそうだ。

明るい展望がまるで拓けてこない。右肩あがりのバブル期を知らない世代は右肩下がり、就職氷河期、内定取り消し、アルバイト先急減という現実を前に呆然となった。この状況に武漢コロナのアウトブレークが発生し大恐慌に直面することとなった。

経済の回復はいつになるのか?

四月下旬の段階で、すでに米国ケンタッキー州では「外出禁止をやめろ」とプラカードを掲げての抗議行動が開始され、数百人が集まった。参加者は「外出の自由がないのは監獄にいるのと同じだ」と叫んだ。

トランプ大統領は感染の少ないミズーリ州、ミネソタ州、バージニア州などの知事(全員が民主党)に対して「規制緩和」を呼びかけた。禁止条項の行き過ぎは経済活動を阻害し、アメリカの再生に役立たないというわけだ。

日本は外出自粛以後、皮肉にもコロナの感染が拡大し、大都市ばかりか地方にも拡がってしまった。二週間の休校、在宅勤務、外出自粛で感染はおさまるはずはなく、さらに五月いっぱいと延長された経過はみてきた。

ビジネス街と盛り場は閑古鳥、ディズニーランドの休園がつづき、レストランも百貨店も居酒屋も客足がすっかり遠のいてしまった。営業していた飲食店でも椅子数を減らし、客席ですら隣の客と一メートル以上のスペースをとった。

米国でウォルマートは急遽一五万人を雇用、アマゾンは合計一七万五千人を雇用して需要増に対応した。反面で自動車部品、耐久消費財などの製造業はエンジニア、工員の確保も難しく、サプライチェーンの寸断によって製造過程が軌道に乗っていない。

鉄鋼は世界中で多くの高炉が止まり、自動車は販売が激減し、量販店で売られているのは在宅勤務、テレビ会議用のZｏｏｍなどに集中している。薬局チェーンにはあいかわらず「マスクの入荷予定はありません」の張り紙。沖縄では一万枚のマスクを配るとの篤志家の行為に警官が出動した。大都市の商店街には露天商が進出し、マスクを高値で売っていた。五月下旬になって、ようやくマスク不足は解消された。

なぜ、ここまで人々はパニックに襲われたのか。

第一にウイルスの正体が不明、感染ルートも不明とあっては、適切な処方が分からないために心理恐慌をきたしたからだ。

この恐怖心が取り除かれるのは、ウイルスの正体が解明され、ワクチンなど特効薬に効き目があると分かるまでの期間である。

子供たちは未知のことを何でも知ろうとする。お化け屋敷で悲鳴を挙げるのは子供であり、大人になるにつけ、機械仕掛けのお化けの正体を知ると怖くなくなる。同様に未知の解明がなされると恐怖心は自然と遠のく。

第二は恐怖、怯えが心理恐慌をむしろ悪化させたことである。

メディアは不手際を安倍政権の所為にこじつけた。元凶は中国だが日本では中国を非難する声はミニコミとSNSだけ、大手メディアは口をつぐんだ。

対策が遅れたのは現行憲法の欠陥である。

承知のように我が国の憲法には緊急事態条項がない。「普通の国」ではないのだから、常識的な条文がないのだ。

ならば国民のいのちが危機に直面したときに、国民のいのちを守るための政府の行動を定めていないのだから、対策が取れなかった。

コロナ災禍では「外出禁止」「大規模イベント終始」「休校」などの措置を強制でき、違反には罰金あるいは実刑を加えるのは国際的常識であろう。イタリア、スペイン、フランス、ドイツでは憲法に明記され、憲法典のない英国でも成文法によらぬ常識《コモンセンス》で同様な措置をとれる。しかるに日本には憲法に規定がないため「自粛要請」となり、違反者を罰することは出来ない。

憲法改正の声は巷にあがって久しいが、左翼メディアの煽動があり、依然として護憲を言い張っているために改憲は遠のいた。

▼都市封鎖、そしてこころの封鎖

ラフェル・ベールは「都市封鎖は解けてもこころの封鎖は解けないだろう」と書いた（英紙『ガーディアン』四月二八日）。

たしかに英国でも米国の一部の都市でも、封鎖は解除されたが、ソーシャル・ディスタンスは残った。スーパーに買い物に行っても行列には距離をおく義務がある。ATMに並ぶにも長い列が出来ている。日本でも郵便局は唐突に午前一〇時から午後三時までに営業時間が短縮された（五月末まで）。レストランも隣の客とは座席をひとつか二つ空けなければいけないから当面、常連客以外は寄りつかず、どんちゃん騒ぎの飲み会は再現されない。ハグも遠慮がちとなり、キスも出来ず、マスクを続ける人が多い。

一方で国境は閉じたまま、検疫の厳格さが継続され、ナショナリズムの呼号は鳴りやまず、自国ファーストのエゴイズムが当面は持続される。

多くの人は心の中に鍵をかけてしまったのだ。ウイルスのように見えない鍵を！

ウイルスは光学顕微鏡でもとらえることの出来ない微生物である。その小さな、小さなウイルスが地球の文明社会に挑み、社会を激変させた。

歴史を振り返れば、ペスト（黒死病）、赤痢、天然痘、チフス、コレラ、そして今世紀にはSARS、MERS、インフルエンザの大流行があり、たとえばSARSが完全におさまるには一八ヵ月を要した。情報の隠蔽が大きな原因であり対策が遅延したことが大きい。

未知への恐怖は人類の歴史が始まって以来、繰り返されている。政府の役目は情報の徹底公開であり、メディアは過剰な報道を避けるべきだろう。

今回のコロナウイルスに関しては、持病持ちの高齢者が集まるケアセンターや病院内の集団感染が最大の感染原因であり、ほかの感染が比較的すくないという特徴を、現在多くの人が知るところとなった。もっかの対策は医療崩壊をいかに防ぐか、最大級の努力目標がそこに置かれている。

第三に「その後」のシナリオが見えてくれば人心が落ち着き、規制は徐々に解除されていくだろう。

すくなくとも「三密」（密室、密着、密集）規制の解除は遅れるだろうが、在宅勤務などは徐々に緩和される。学校の再開も順次進む。未知への恐怖が稀釈化されるに併行して、ウイルスとの「共存」が進行する。

「病原体との共存」は人心が落ち着けば、新しい行動規範となる。古代から日本人はそうやって暮らしてきたのだ。

たとえば明治時代、正岡子規は結核に冒されていたが、俳句仲間は会合をやめず、漱石も濃密に子規との交遊を深めながらも、しかも周辺では次々と結核で死んでいく人々がいた。病原体と人々が共存していた。

日清・日露の戦いでも、夥しい戦死者より、現地で疫病に感染して死亡した日本軍兵士のほうが多かった。

恐怖心理をあまり深く顧慮しないで、営業を続けた喫茶店と居酒屋は大繁盛という皮肉な現象も起きた。

一九一八年頃から日本でもスペイン風邪が上陸して猛威をふるった。一九一九年二月一日付の「時事新報」の見出しは「火葬場に柩の山」とあり、同月二六日に「さしも猖獗を極めた流行性感冒ようやく下火」とある。

現代日本は大正時代のご近所付き合いも遠くなり、個室マンション、「都会の孤独」、こんな時代だからこそ、連帯感を強く求めて、あるいは「居場所をもとめて」、外出自粛もなんのその。だから営業自粛も黙殺して、需要に応えるのは心理解析として、研究課題になる。

巣ごもりが長引くとストレスが蓄積する。行政は各地に「こころの相談室」を設営したそうだが、相談に乗れるカウンセラーがそれほど多くいるとも考えにくいことである。

第四は前項の後節と関連するが、ストレスの爆発によって、突発的な社会の変化、珍現象がかならず起こることだ。新興宗教の勃興も大いにありうる。

日本の歴史を紐解いても疫病の流行は早いところで『日本書紀』に記録がある。天平年間には四分の一の人口が天然痘で死んだという。秩序が乱れ、都が廃墟となった応仁の乱などでは餓死者が急増した。こうした時代には末法思想が世を席巻して、「厭離穢土　欣求浄土」の念仏行進があった。人々は救いを来世に求めた。

不安心理が長引くとトラウマ、精神状態の不安定をもたらし、そのストレスが間歇的に爆発する。ホームステイではなくて、ステイホーム（自宅から出るな）が日本の合い言葉、GWの人出は新幹線乗客が八パーセントしかなく、しかも観光地は「観光にくるな」というあべこべキャンペーン。恐怖心理が継続していたからだ。

ストレスが発散場所を求めるのは時間の問題だ。

フロムの『自由からの逃走』は戦後のベストセラーだが、全体主義との対比も描かれている。人間は孤立を怖れる習性があり、意識の中では自らの意思で動いていると思いながらも、人間は自由になればなるほど、心の中では孤立を深め無力感に襲われるとする。

その懼れから逃れようとして宗教行為や集団ヒステリーのような「ええじゃないか」の狂宴

に走りがちになる。江戸時代なら百姓一揆、近代ではスト、暴動。これが、中国では内乱となって栄華を極めた王朝を崩壊させた。中国史はその繰り返しである。

日本の幕末の混乱は徳川幕府が大政奉還をなしても収まらず、京、尾張から四国あたりでは「ええじゃないか、ええじゃないか」と狂乱的な踊りが突発事故のように展開された。

戊辰戦争の決着をまって維新政府が確立されたが、その前後には廃仏毀釈という狂乱的騒擾があった。そして明治新政府の基盤が固まると、革命ともいえる藩閥政治廃止、廃藩置県、国会開設、明治憲法の発布という政治体制の変革となった。

コロナ予防は三密（密閉、密着、密集）をさけ、家に留まり（ステイホーム）、ソーシャル・ディスタンスが呼びかけられた。そのマイナス現象はＤＶ（家庭内暴力）、家族不和、離婚騒動に発展するケースが夥しく報告された。

これらいずれもが現代人に精神的耐久力が衰弱しているからである。

自立心の欠如、逞しい生活力と危機管理能力に欠陥がある。読書などの精神生活を積んでいないがゆえにイザというときに弱さが露呈したのである。

第二章　中国、真っ逆さまの暗転

「チェルノブイリ原子力発電所の事故は、わが国の技術が老朽化してしまったばかりか、従来のシステムがその可能性を使い尽してしまったことをまざまざと見せつける恐ろしい証明であった。それと同時に、これが歴史の皮肉か、それは途方もない重さでわれわれの始めた改革にはねかえり、文字通り国を軌道からはじき出してしまったのである」

工藤精一郎訳『ゴルバチョフ回想録　上巻』（新潮社）

▼世界が中国と敵対を始めた

大変化の筆頭は何か。

国連であれ、ほかの国際会議、イベント、そして国際外交においてかつての中国への注目、期待は稀釈した。それどころか「中国熱」は雲散霧消した。

全世界が中国を敵視しはじめるという驚くべき変貌が国際環境で起きていた。中国と蜜月を演じてきたロシアのプーチン大統領も、トルコのエルドアン大統領も、感染拡大によって疫病が経済を弱めたことを恨み、隣国モンゴルは発生直後に国境を締めた。中国の味方はと言えばカンボジアのフンセン首相、WHOのテドロス事務局長、韓国の文在寅大統領くらいだろう。

二〇二〇年四月二二日に発表された直近のピューリサーチの世論調査（アメリカ人が対象）の結果とは、

「あなたは中国が好きですか、嫌いですか?」

嫌いです　六六パーセント（前回二〇一七年は四四パーセントだった）

好きです　二六パーセント

天安門事件直後の世論調査でも、これほど高い率ではなかった。

次なる設問は、「あなたは習近平が正しい方向の政治をしていると思いますか?」

正しいとは思いません　七一パーセント（昨年調査では五〇パーセントだった）
正しいと思います　二二パーセント

アメリカ人の移り気は兼ねての性格、習性であるにせよ、そのことを割り引いても、平均的アメリカ人の描く中国像がいかなるものか伝わってくる。

かつて中国の未来に大きな期待をしてきたアメリカは、一時期「G2」などと本気で囃すパンダハガーが夥しかった。G2とは世界を米中で分け合おうと解釈できるし、アメリカのゼーリック元国務副長官が言った「ステークホルダー」は親身な同士関係という意味を含んだ。

『ひ弱な花・日本』を書いたズビグニュー・ブレジンスキーはカーター政権の安全保障担当補佐官だった。かれは中国と米国がG2だと北京へでかけて称賛した。

ニクソンの忍者外交を主導したキッシンジャーは米国論壇を我が物顔に牛耳った。親中ロビイストの代表格だった。

『ジャパン・アズ・ナンバーワン』を書いたエズラ・ヴォーゲルは、いつのまにか親中派の大御所におさまっていた。前述のゼーリックは「競合相手」から「責任あるステークホルダー」と揚言して、まごうことなき親中派ぶりを発揮した。一方、台湾を露骨に排除する路線を提唱した。ゼーリックは反日家でもあった。

この数年で、キッシンジャー理論に疑問を持ったデイビッド・シャンボーやマイケル・ピルズベリーなどの中国専門家らが「転向」して反中派にまわった。このようにアメリカの論壇は様変わりしていたにもかかわらず、日本のメディアはこうした動向を意図的に報道しなかった。池上彰の解説にもなかった。

時代は激変し、世論は変わる。さきの調査は二〇二〇年三月三日から二九日までに行われた。まだアメリカに於ける武漢ウイルス感染被害がそれほどでもなかった段階である。したがって当時の状況を勘案すると、中国が嫌いと答える前提はコロナよりも、ウイグルにおける弾圧と香港大乱の影響だった。ということは現時点（五月下旬）に再調査すれば「中国は嫌いです」は九〇パーセントを越えているだろう。

この時点での米国議会は「ウイグル人権法案」を全会一致で可決させていた。

トランプ大統領はＦＯＸビジネステレビ（五月一四日）に出演し、武漢コロナ大流行への中国のでたらめな対応ぶりに対して「深く失望した」とした。ついで「中国との関係を遮断すれば、五〇〇〇億ドル（約五三兆六〇〇〇億円）の節約になる」とトランプ大統領が語った。

「遮断」は国交断絶を示唆したとも受け取られ、衝撃ニュースとして伝えられた。

その日に上院本会議ではウイグル自治区におけるウイグル族弾圧に対して、中国共産党幹部に制裁を科す「ウイグル人権法案」を全会一致で可決した。

下院はすでに昨師走に四〇七対一の賛成多数で可決している。この下院案に上院が修正を加えたために、もう一度、下院に送られ、五月下旬に成立した。タイミングを見計らってトランプ大統領の署名となる。

マルコ・ルビオ上院議員（フロリダ州選出）らが中心として提出された法案はイスラム教徒を強制的に収容し、人権侵害を繰り返したことを強く非難し、弾圧に関与した中国の当局者を特定する。

そのうえで、当該幹部らの査証発給停止や在米資産の凍結を求める内容となっている。具体的には陳全国ウイグル自治区書記らの名前が挙がっていた。ＦＢＩと国家安全局は武漢コロナ対策のワクチン開発で、情報が中国に窃取される恐れがあると警告を発し、中国系アメリカ人の研究者のチンワンを逮捕した。チンワン容疑者は米国立衛生研究所（ＮＩＨ）の助成金を不正に受け取った容疑と発表した。ついで華為技術（ファーウェイ）に対する制裁の強化策が発表された。反中感情は爆発寸前だった。五月二九日には香港国家安全条例採決に抗議して、制裁の検討に入った。ＷＨＯからも脱退した。

▼中小企業の倒産が「ラッシュ・アワー」

コロナ災禍のどさくさに便乗して中国企業の倒産が目立ちはじめた。品物を納めても支払いが滞り、在庫はまったくはけず、従業員を次々と解雇しても、家賃も電気水道祭も払えない。夜逃げが一番だが、逃亡先の当てもなく倒産・廃業が実に四六万社！失業は『財新網』（三月三一日）に拠ると、実に二億人突破（雇用人口の二五パーセント）と推定される。大恐慌の一九三三年レベルである。

中国は強気の内需拡大を獅子吼して財政出動を言いつのるが、二〇一九年から経営が破綻した地方銀行が顕著となった。

内蒙古自治区の中心・フフホトが拠点の包商銀行（総資産五二三一億元、以下同）が事実上倒産し、当局の管理下に置かれた。これは始まりに過ぎなった。

遼寧省の錦州銀行（八四五九億元）、営口沿海銀行（八八〇億元）がつづき、となりの吉林省では吉林銀行（三六一八億元）。渤海湾の南側へわたると、山東省の恒豊銀行（一兆四一九五億元）、さらに河南省の河南伊河農村商業銀行（六二六億元）、甘粛省の甘粛銀行（三三六一億元）と経営危機が表面化した。後者の甘粛銀行では取り付け騒ぎに発展した。

中国人民銀行は利下げ、資本準備率引き下げなどで対応した。中国銀行保険監督管理委員会は、逐一経営破綻に陥った銀行を当局管理下で延命させるパッチワークではなく、銀行の再編に踏み切る方針を固めた。日本で言うＪＡバンクや信用組合、信用金庫などのレベルの銀行は中国におよそ四千。総資産は邦貨換算で一二〇〇兆円になる。

いってみれば地方都市、農村の経済活動をささえる大動脈である。一行でも倒産すると連鎖を呼ぶことになるから、中国では金融システムの維持延命には再編もやむなし、モラルハザードの助長となる。ひどい経営内容だったのに包商銀行はいったん国有化され、つぎに地元大企業などから増資を募り、蒙商銀行と看板を変えての再出発となった。

中国国家統計局は二〇二〇年第一・四半期のＧＤＰをマイナス六・八パーセントとした。実態はそんな低いはずがない。米中貿易戦争で対米輸出は二〇パーセント前後のマイナスとなっている。対日輸出も一六パーセント減、頼みの綱だった欧州市場もコロナ災禍で中国からの輸入縮小、とくにスマホとパソコンの落ち込みは二〇パーセントのマイナスを記録した。不要不急の衣料品、玩具、家具など金額にして一三パーセントの落ち込みである。

かくして中国の花形企業と言われた蘇寧（中国のビッグカメラ的量販店）、万達（映画館、テーマパークにホテルチェーン）、全衆徳（歴代米大統領の食したペキンダックの名店）、ＢＹＤ（電池からＥＶに進出）、中鉄（新幹線の中枢企業）など、あげれば際限のない大企業が軒並み赤字転落、あるいは営業利益が八〇〜九〇パーセント減となって従業員削減、時短、一部休業などの措置をとった。各地では賃金未払いのため、工場やビルを占拠して抗議行動、デモが頻発、いずれ大暴動の発展する可能性が高い。

中国の破竹の進撃が突然死。コロナショック死。くわえて欧米の不況入りによって輸出はますます縮小方向にある。自動車、エアコン、家電など耐久消費財はもっと落ち込みが続き、窒息状況にいたる。

贅沢品の有名ブランドは一斉に中国と香港の店舗を畳み始めた。消費マインドが完全に変質していた。もはや売れ行き激減が長期に続くと判断しているからだ。

とくに香港は無税の買い物天国で、フェラガモ、グッチ、オメガ、ディオール、プラダ、モンブラン等々、もの凄い売れ行きがあったのも日本人観光客ではない。中国から年間五〇〇〇万人が香港へやってきて爆買いしたのだ。

二〇一九年の香港は騒擾が続き、自由民主運動のデモと狼藉、火焔瓶と武闘の過激化で観光客が激減し、プラダ、ルイ・ヴィトンが、いち早く治安悪化を理由に撤退をきめていた。コロナ以後は、高い家賃に見合うほどの売り上げはなく、いや客が「蒸発」していた。地元企業の宝飾、中国の金ショップチェーン最大級の「周大福」、「周生生」も客足激減、多くの店舗を休業させた。金（ゴールド）を買う金（カネ）がなくなったのだ。

澳門《マカオ》は歳入の八〇パーセントがカジノのテラ銭である。コロナ災禍によりカジノホテルが休館。シェア最大のラスベガス・サンズは九二パーセントの収入減となって、CEOのシェルドン・アデルソン（トランプ最大の支援者だった）が悲鳴をあげた。アデルソンは日本への進出をあきらめた。こんな最中に、「マカオのカジノ王」と言われたスタンレー・ホーが死去した。

▼武漢の封鎖解除、六万余人が脱出した

米国の有力シンクタンクAEI（アメリカン・エンタプライズ・インスティテュート）が、世界の感染数値から推定して中国のコロナ死者は一三六〇〇〇人と衝撃的な数字を並べた（「AEI報告」二〇二〇年四月六日）。

四月八日、武漢は封鎖を解除した。初日に武漢から逃げ出した人々は六万六千人を越えた。皮肉にもこの日に安倍首相は緊急事態宣言を発令したのだから出遅れは否めない。

封鎖前に五〇〇万人がすでに武漢を離れていたことが確認されている。半分は帰っているが、湖北省の他の都市からも離脱者が含まれるので、最低で一五〇〇万人、たぶん二〇〇〇万人が湖北省を去った。

これは毎年の休暇利用で湖北省から平均二八〇〇万人が他の省へ旅行をしている記録から、

半分が旧正月の休暇旅行であるとすれば、この数字が導き出される。つまり一五〇〇万人から二〇〇〇万人が湖北省からほかへ移動したのである。潜在感染者多数を含めて。

湖北省全体の統計から毎月の空港利用が推定できる。過去のデータを基礎にすると五二万人が月々の旅客機利用者だった。この数字から推測できること、四六五〇〇〇人が飛行機を利用して湖北省から消えた。

ＡＥＩの特別レポートに拠れば中国は既に二九〇万人が感染していると推定する。五月初旬に世界の感染者は三百万をこえたが、中国は国際査察チームの立ち入りを拒み続け、真相を隠している。

イタリア、スペイン、フランス、英国の死者が中国より多い事実はとても納得できない。中国国内だけで二九〇万人の感染者がいるというＡＥＩの情報は中国国民には知らされておらず、他府県への旅行は自由だったからで、その感染率を世界平均から掛け合わせると、成り立つ推定値だ。

極力低く見積もっても、一二〇〇万人が武漢を離れた。このうちの二七〇〇〇人が、国際比較から判断して換算した感染者である。次に最長の潜伏期間を三週間として、同じ比率をイタリアの例を適用すれば、中国全体の感染者の二九〇万人になる。致死率は四・七パーセントとなると、導かれる推定値＝中国全体の死者は一三六〇〇〇人になるという方程式がＡＥＩの計算だった。

中国海洋石油（CNOOC）とシノペックのCEOを務めた溥成玉が『財訊』最新号で、中国経済の近未来を語った。

「コロナ以後の国際環境は中国に対して冷風、そのうえに米国が繰り出した悪玉論の蔓延で地政学的環境はさらに中国の立場は悪化するだろう」

なかなか冷静に物事が判断できるらしい。

「コロナはブラックスワンだったのだ」とする溥成玉は「中国への冷視は向こう一、二年はおさまらないという匂いがする」とも発言している（「ブラックスワン」とはあってはならないことが起きることを意味する）。

溥成玉は米国留学、南カリフォルニア大学卒業の国際派で、中国の石油産業を代表した国際的な顔である。当時、エクソン・モービルのCEOだったレックス・ティラーソンとは親しい関係だった。ゆえにティラーソンが国務長官時代、米中関係はいまほど軋んでいなかったではないかと自信ものぞかせる。

CNOOC社は二〇〇五年六月に、一八五億ドルを提示して全米メジャーの一角を占めた石油大手「ユノカル」の買収に動いた。アメリカ人のほとんどが反対し、議会でも「石油企業の外国への売却は米国の国家安全保障の脅威になる」と反対論が渦巻き、土壇場で買収を断念した経緯がある。

コロナ災禍の完全な収束は、ワクチンの発明がなければ無理である。早くても年内。ハーバード大学の調査チームは「間歇的な二次感染、三次感染が起こるだろうから、収束には二〇二四年を待たなければならない」と予測していることは述べた。トランプ大統領は「年内に開発される」と自信を持って発言しているが、選挙対策のアドバルーンと解釈されている。

スタンフォード大学のシミュレーションは感染者はもっと飛躍的に多いとした。

ということは国際環境でも中国の孤立、中国悪玉論も二年や三年ではおさまらないのではないか。あまつさえ中国が「善人」を装っての「マスク外交」は世界中からその裏の思惑を見透かされて不評である。なにしろフランスにはマスクを寄贈するのと引き換えにファーウェイの5Gを使えと恐喝したこともばれて、マクロン大統領はご機嫌斜めになった。

中国のマスク生産能力は四月下旬に日産一億一六〇〇万枚。新たに参入してきた素人マスク製造業者八九五〇社を含めて、フル稼働で生産し、多くは「いまがチャンス」とばかりに輸出に廻しドルを稼いだ。

案の定、不良品とのクレームがついた。オランダが五〇万枚、カナダが一〇〇万枚、医療用の基準を満たしていないとして突き返した。実際に病院で使い始めて不良品が発見されたのだが、支払いをすませた後だった。こうした不良品の返品はチェコやトルコでも発生、慌てた中国当局は輸出検査を強化したが、四月中旬までの合計で「三一六〇万枚のマスクと五〇万九〇〇〇着の保護服が不合格品であったため輸出直前に税関で没収した」と中国国家市場規制委員会の副局長・岩霖が認めた（『アジアタイムズ』四月二六日）。

即席ラーメンを食べた中学生四人が中国の山奥で死んだ事故があった。河北省では毒入り餃子、北京では肉の代わりに段ボールをつめた餃子が発見された。餃子は日本が輸入元だったため日本のメディアも騒いだ。粉ミルクでも死亡した乳児が大きく報じられた。だから中国人ツアーは日本にくると明治乳業か森永の粉ミルクを大量に買って帰る。

米国向けの中国産ペットフードでアメリカ人家庭で飼われていた犬、猫およそ一万匹が死んで、訴訟に発展したこともあった。不良品、偽物を作るのは中国伝統のお家芸なのだ。

▼実際に華僑とビジネスをしてみた

一ドルがまだ三〇八円（スミソニアン合意からしばらくだった）のレートだった頃から一ド

ルが七九円（クリントン時代）になるまで一〇年間ほど、筆者は貿易会社を経営していた。毎日が為替レートとの戦いだった。

大きな契約でＬＣ（信用状）を受け取った時点のレートと実際に出荷するときのレートががらりと相場が変わることが多く、為替差損の大きさは深刻な問題だった。

当時はネットもＦＡＸもない時代。国際郵便、急ぐときは国際電話。そのうちテレックスが導入され、ＫＤＤ（現ＫＤＤＩ）に一週間通ってテレックス送信のノウハウを習得した。作家の丸山健二氏も商社時代に「テレックスの名人」と言われていたそうだが、筆者の得意技でもあった。いまでは国際間がネットで繋がり、地球の裏側と長々と通信してもタダ同然だ。

それはともかく貿易相手、バイヤーがよく来日するので、あちこち食事やらバーに案内した。とくに中国人華僑とはもっとも濃密に付き合ったので、彼らの特性が何かを知るに至った。その名残りがあって、拙著『出身地で分かる中国人』（ＰＨＰ新書）を書いた。

中国人が商談で発言するのは、その商品の品質、性能、効能、耐久性などを聞く前に、第一は値切ること。第二は「ところで自分の取り分はいくらか？」という質問である。第三はやたらとコネの強さをひけらかすことだ。

いずれも日本人のビジネス感覚と大きな距離がある。違和感がある。

香港やシンガポールの華僑は、大陸や台湾とは異なって、英国の植民地時代を経験しているから英国的ビジネスマナーを心得ていた。

取引が成立した後でも値切るのは韓国人。商売にならなくても絶対に飲み代を支払わないのも韓国人。逆に中国人は羽振りがよいととことん大盤振る舞いをする癖がある。

何を言いたくてこの話をしたかと言えば、中国のマスク、保護服、使い捨て手袋といった医療品の輸出ビジネスが突如ブームとなった背景である。行政命令としての押し売り、賄賂の要求という特性をいかなる相関関係になるかという方程式である。

風力発電のことを思い出してみよう。

突如、上からの命令で、割り当てが来ると、中国全土の行政単位は、ノルマを果たさなければならない。風が吹かないところにも風力発電機を設置する。補助金が目的である。習近平が視察に来ると対策を協議し、風力発電に発電機をつけてプロペラを廻す。漫画の世界だ。発電ができても送電線に繋がっていなかったり。行政が風力といえば、雨後の竹の子のように素人企業が七〇社以上も発電機メーカーとなり、政府の補助金が切れると、さっさと転業、もしくは廃業した。

同じことは太陽光パネルにも言える。太陽光の送電装置に連結しない設備を山と設置して補助金を貰いノルマを果たす。あとは野となれ山となれ。そのうえ例のPM2・5、猛烈な風塵、ほこりがパネルの上に付着して機能不全になる。これで発電が可能なら心配はないだろうが、そんなことは気にしないのである。

したがって中国製自動車が売れる？　まずは上からの強制、つぎは購買責任者の賄賂要求。逆に言うと販売員のセールスのコツは「あんたにこれだけ渡せる」と金額を明示し売り込むことであり、性能、品質、耐久の説明はとくに要らない。

購入後、現場でクレームが付いても、「説明書に書いてあるとおりにすれば故障しない。あんたの使い方が悪いのだ」と絶対に責任をとらない。だから個人で、あるいは国有企業でないところでは性能のよいコマツのクレーン、トヨタの自動車を買う。女性は資生堂の化粧品を買うということになるのである。

品質、性能が悪くても粗悪品が中国で売れるのは、このからくりである。

習近平が号令したＥＶ（電気自動車）に中国企業が一斉に群がるのも、中国共産党が、決して補助金をつけるからである。かくして中国人のビジネスマナーの謎解きができる。米国は補助金はＷＴＯ違反だとして、中国を提訴している。

マスクの製造にいきなり八六五〇社。人工呼吸器にメカニズム業界では無名のメーカーが名乗りを上げるのも、こうした特質を知れば理解できる。

三月一日から四月四日までの統計で、中国は一四億五〇〇〇万ドルを、マスク、体温計、保護服など一一品目の輸出で稼いだ。輸出した国は五〇ヵ国以上になる。このうち、三〇パーセントがマスクだった。まるで強盗が盗品を被害者に売りつけるような構図。凄いなぁ。

しかし中国政府はメンツを重んじる性癖を同時に持っている。

だから「中国製の不良品は突き返した」とオランダ、オーストラリア、スペインから不満が噴出したため、品質管理をいかに向上させるか、対策を練った。

そして医療関係一一品目の輸出検査を強化する。禁輸ではないが、製造者の工場査察などで品質検査を徹底させ、精密度が要求される人工呼吸器などの輸出はライセンス制度にするとしたが、輸出検査にも検査員や税関幹部に賄賂が横行する国で、文字通りの品質管理ができるとは考えにくい。

▼新卒八四七万人の半分に就職先がない

いまも米国に留まっている中国人留学生はキャンパスに孤立し、かと言って町へでかければ中国人への蔑視、差別に遭遇する。

日本人も中国人と間違えられて殴られたりするから日の丸のバッジをつけているとか。

中国に帰ろうにも、飛行機が飛んでいない。複数のルートをつかって帰れたにしても、二週間は中国で隔離される。

「それならしょんぼりと米国で暮らすしかない」と中国人留学生同士が集まって食事会をやっている写真がロスアンジェルスタイムズに出ていた。

まさか、卒業を前にこんな難儀に遭遇しようとはと、途方に暮れている中国人留学生が多い。三五万人の留学生のうち、まだ米国に留まっている学生の数は不明。この点で、日本に留学している中国人は何の差別もなく安心している。彼らはむしろ留学生に潜り込んだスパイの監視があるためホンネを喋ることはない。

米国では中国に対しての怒りの声が激甚となって、損害賠償を求める集団訴訟が相次いでいる。同様にトルコ、エジプトなどでも中国損害賠償を求める動きが顕著となった。いずれも政府ではなく民間の動きで、エジプトの弁護士は「トランプ大統領が『チャイナウイルス』と断定しているのだから、この大統領発言を論拠に裁判を起こせるのだ」と、記者会見で息巻いた。

四月一七日、中国国家統計局は「第一・四半期（二〇二〇年一月―三月）のGDPがマイナス六・八パーセントだった」と初めてマイナスを公表した経過はみてきたが、自動車販売が七〇パーセント以上に落ち込んでいる上、多くの都市が封鎖され、生産活動が止まっていたのだからマイナスは当然だろう。その幅が僅かに六・八パーセントだったとは嘘くさい。マイナス三〇パーセントぐらいではないのか？　ちなみに二〇一九年第四・四半期の日本のGDPはマイナス七・一パーセントで、これはコロナ発生前である。

中国湖北省・武漢は人口一一〇〇万。ハイテク産業のメッカの一つでもあり、二〇一九年度のGDPは九・二七パーセント成長を遂げ、中国全土で八位だった。なにしろ武漢に進出した日本企業だけでも一六〇社。自動車部品や半導体エンジニアが集中していたことは、五次にわたったANAチャーター便での帰国者分析で明らかとなっている。

武漢には武漢大学や、工学で有名は華中科技大学など八九の大学、短大、各種職業学校があり、三流大学も含めて二一万人とも三〇万とも言われる学生がいる。とくに華中科技大学（略称＝華大）は、工学系の大学院を含めて学生数が一〇万余。教員三〇〇〇というマンモス大学。

中国の大学制度は、七月卒業。去年まで新卒予定者は就職の内定組がほとんどだった。武漢肺炎で七六日間、武漢は封鎖された。この間、生産活動はなく、大方が巣ごもりで過ごした。企業は操業を停止していた。封鎖が解かれると中小零細企業の多くが倒産していた。

新卒予定者への就職説明会は例年ごった返し、バブル期は売り手市場、この二、三年は買い手市場。それでもほとんどが職場を見つけることが出来た。

ことしの中国全土の大学新卒者は八七四万人である。僥倖で就職口をみつけても月給は女工さんより安い。平均三〇〇〇元でしかなく、これでは何のために大学へ高い授業料を払って通ったのか、不満の声は澎湃として鳴り響く。

コロナ以後、求職活動が開始されたが、募集する企業はゼロに近く、説明会も開催されない。それればかりか、「内定」した学生らにも内定取り消し通知。氷河期ではない。凍死場所である。新卒予定は八七四万人のうち、就職難のため卒業後の職業訓練コースを選択した者が、実に三四一万人。大学院に進む者が三二万人となっている。


中国の家計はコロナ以前から借金地獄に堕ちていた実態が中央銀行の調査で判明した。日本政府は国民一人一人に一〇万円を支給する。米国は一二〇〇ドルから二〇〇〇ドルの間である。これに倣って「中国政府は国民全員に千元（一五万円）を支給せよ」と北京大学のエコノミストが主張した。

しかし中国政府は軍拡予算を確保しても、国民の生活を守る意思は希薄である。

コロナ災禍による景気後退で中国政府は家賃延長、支払い猶予、償還時期の延期など先進国並みの政策を表明してはいるが、中小企業の支払い補助に一・八兆元（二七兆円）、物価安定に三八億元（五七〇億円）、失業保険対策にも予算措置をとるとしただけで、ほかの政策出動の予定はない。

中央銀行（中国人民銀行）は四月二二日、全土の都市部生活者、およそ三万世帯の財務内容調査（実施は昨年一〇月）の結果をまとめた。

それによれば全世帯の五六・五パーセントが住宅ローンなどの借金を抱えており、とくに都会生活者の中産階級に多いという実態が分かった。

背伸びしてマイカーを持ち、子供にピアノを買い、スマホは新型を追いかけ、通信費の支払いにも事欠くと、贅沢品を忌避するのではなく食事を削るのだ。この統計はコロナ以前のことであり、それ以後は想像を絶する惨状だろう。げんにコロナの元凶となった湖北省ではＧＤＰはマイナス四〇パーセントを示している。

調査結果に戻ると、家庭の借財の五九・一パーセントが不動産で、全家庭の二〇・四パーセントしか金融資産をもっていないことが分かった。中間層といわれる中国の都会人の大半が、実は安定収入を欠き、小口の現金にも事欠き、ほかの財産となるようなものがない。

このような家庭が都会生活者の中産階級の実態だった。可処分所得は平均一一六九一元（一八万円）で、それも全世帯の三・九パーセントしかないという。

家計が赤字という世帯は二〇一九年九月の時点ですら五四・四パーセントだった。過去一一年間に家庭の負債は三六・五パーセント増えていた。

中国のＧＤＰ統計における消費は、従来、エコノミストの間で四〇パーセント以下とされたが、中央銀行の調査によれば対ＧＤＰ比で五七・八パーセントまであがっていた（これらの数字は二〇一九年一〇月時点）。

これでからくりが分かった。借金でマンションを買い、マイカーを買い、ツアーで日本やイタリアに観光旅行に行くのも借金。さぁ支払いとなると、ローン残高の巨額に震えて、生活の不安に怯える。それが中国の都会の中産階級の実像だった。

これから中国人の海外旅行もマイカーも、ピアノも「突然死」を迎える。日本のインバウンド業界の期待する中国人ツアーの再来は考えにくい。

▼雄安新都市は「習近平の阿房宮」

雄安は北京のビジネスを補完する新都心プロジェクトで、習近平の目玉である。

槌音高らかにトラックが勢いよく物資を運んで行き交い、道路はすでに整備され、クレーンが高層ビルの屋上に舞い、すでに店員のいないコンビニも開店。全土から選ばれた公務員たちが勤務している。ビルへ入るには顔認識ではなく指紋認識、町中に監視カメラ。

天津の新工業区「浜海地区」の倉庫地帯で大爆発事故が起きたのは二〇一五年八月一二日だった。死者行方不明一七〇名余。重軽傷およそ八〇〇名。「すわっ！　テロか」と疑われ、爆発現場には大きな穴があいた。最近、天津の現場を訪れた人の話によると現場は柵がなされて立ち入り禁止。アパートは閉鎖されたままだという。

この天津浜海地区の「新都心」、実は胡錦涛前政権の目玉だった。無惨に失敗となり、曠野《こうや》と化した。

習近平がかつて二年間を過ごしたのが河北省正定県だった。土地勘がある。この荒れ地に新都心を建設し、ガソリン車乗り入れ禁止のエコシティ兼ハイテク都市とする「雄安新区」の建設を決めた。つまり習近平の目玉プロジェクトの一つである。

近藤大介『アジア燃ゆ』（MdN新書）に雄安新都市の建設現場へ潜り込んだ報告があって、都市設計を担当した清華大学教授にしてからが、「第二の深圳《しんせん》となるか、それとも天津浜海地区のように残骸を残すことになるか」と微妙な発言をしているという。

「第一に人口過剰の解決に結びつくのか、第二に深圳は香港と直結して最初から地理的条件に恵まれたが、雄安は北京から一〇〇キロ以上離れており、第三に成功した上海浦東新区とは基本的条件が違う」と懐疑的な基調講演をしているのである。

くわえて北京大学を曠野に移動したら、学生は忌避するだろうし、学力は間違いなく低下する。大企業、ハイテク企業の社員らは雄安新区への人事異動があれば、やめると言っている。

しかし最大の難点は水がないことである。

ミネラルウォーターだけで新都市の市民が生活するのか。水源となる「白洋淀」は水質の悪さで有名。とても飲み水には使えないことが判明している。だから近藤氏は小さな声で言うのである。

「習近平の阿房宮」ではないか、と。

秦の始皇帝の夢だった阿房宮は建設途上だった。四面楚歌の楚軍が紀元前二〇六年に焼き払って灰燼に帰した。習近平の絶叫『中国の夢』は「悪夢」になるかも。いや確実にそうなるだろう。

▼アジアの華僑社会も苦戦

アジアでもっとも感染が少なく清潔なイメージがあったシンガポールは中国人の街である。リー・シャンロン首相が三月二一日に記者会見を開き、「四月七日からの都市封鎖を六月一日まで延期する」とした。四週間の延期は衝撃である。

一般市民の感染が少ないため封鎖解除は秒読みといわれたのに、突然の延期は外国人労働者が集中している建設現場の寮、宿泊施設などで集団感染が広がったからだ。

シンガポールの人口は五七〇万人。急激な感染拡大は3K労働者の密集地だった。かれらの出身地はインド、パキスタン、ベトナム、インドネシア、マレーシア、タイ、カンボジアなどと国籍は多彩である。付近で営業をつづけてきたバーの経営者が逮捕され、二ヵ月の禁錮刑に処せられた。

シンガポールに限らず、香港や広州、上海などでは、お手伝いさんはフィリピンから。これら短期的労働者には市民権が与えられておらず、またフィリピンからの出稼ぎはどの国もフィリピンへ帰還させてきた。

出稼ぎの送金で成り立つフィリピン経済は年間三〇〇億ドルを稼いできた。そのフィリピンでもマニラ首都圏は五月現在、封鎖されたままである。

ドゥテルテ大統領率いるフィリピンでは二〇一六年からの麻薬犯罪撲滅キャンペーンで警官隊が麻薬取引現場などで、射殺したディーラーなど七〇〇〇人以上。さすがにマフィア、チンピラたちが恐れをなして自首してきた。それまでも犯罪者で満杯の監獄に、いきなり数万もの麻薬犯罪者が入所すれば、寝る場所がなくなる。ぎゅうぎゅう詰めは人権問題だとヒューマンウォッチ団体は前々から釈放を要求してきた。ソーシャル・ディスタンスどころではない。一畳に二人か、三人折り重なるようにして寝ている。クラスターが起きるのは時間の問題だった。

セブ島には二つの監獄があり、四月末までに三四八名の感染が確認された。このため八〇〇〇名の囚人の一部を一時帰宅させる措置をとった。フィリピンの最高裁は五月一日、収監中の未決囚、ならびに刑期終了が近い模範囚ら九七三一名を釈放せよとする決定を出した。

フィリピンは五月一日現在で五八七八名の感染が確認され、三八一名が死亡している。

日本と関係の深い刑務所はモンテンルパで、マニラからドライブで一時間ちょっと。広い敷地、刑務所の前は広大な公園、裏山には日本軍人の墓地もある。いま、モンテンルパは軽犯罪者の収容所となっている。

さて最悪状態にあるフィリピンと中国との関係はどうなったか。

スカボロー礁を中国軍が不法占拠して、漁民の生活に支障をきたし、世論調査ではフィリピン国民の七〇パーセントが中国を不安視していることが判明している。フィリピン人の性格はおとなしく従順なので、中国の横暴、傲慢に直接抗議する場面は少なかった。

コロナ騒ぎに便乗して「健康シルクロード」とかの宣伝作戦を展開している中国は、四月五日に医療チーム一二名をフィリピンに派遣し、「武漢で治療にあたったベテラン医師ばかり」という触れ込みで、各病院をまわり助言したり医療サポートに励んだとか。

四月一二日には中国から寄贈された一〇万の検査キット、四〇万枚の医療用マスク、一万五〇〇〇着の保護服が到着し、フィリピン国民の歓心を買う。そのうちのどれだけが不良品だったかの報道はまだない。

くわえてアリババのジャック・マー元ＣＥＯらが援助を申し出ており、それもこれも、マニラを拠点の華僑団体の要請に応える形である。中国はなぜフィリピンに力を入れたのか？　世界各地にあるチャイナタウンのなかでも、マニラのチャイナタウンが一番古い。華僑は金融、物流を牛耳ってフィリピン国民から蛇蝎のように嫌われている。マニラの華僑のなかには「ウイルスは米軍が持ち込んだ」という謀略放送を真に受けている者もいる。華僑への風当たりを和らげる狙いがあるのだ。

一九四七年からの「マーシャル・プラン」（欧州復興計画）で、米国が援助した金額を今日の貨幣価値に置き換えると一四五〇億ドルに相当するという。

中国のＢＲＩ（一帯一路）のそれは一三五〇億ドルと見積られる。トルーマン政権で国務長官をつとめたマーシャルは、ドイツを永遠の農業国として立ち上がれないようにする当初の計画にもとづき、まずは食糧援助、エネルギー援助を基軸とした。ところがマーシャル・プランに対抗してソ連が「モロトフ・プラン」を打ち上げ、マーシャル・プランに参加を表明していたチェコとハンガリーはソ連の強い横やりを受けて不参加となった。東欧ブロックはソ連基軸の「ＣＯＭＥＣＯＮ」に吸収されていく。鉄のカーテンが敷かれ、東西冷戦が開始されたからだ。

この歴史の変遷を教訓に、中国は「中国版マーシャル・プラン」を展開し、世界の市場のみならずアメリカに代替する影響力を確保しようとした。覇権の追求がＢＲＩの裏側にある基本的戦略だ。

しかし中国のやり方は相手国の政策決定者への賄賂、物資器財の横流し、現地人を雇わず、中国から囚人をつれていき、入札は中国企業が落札し、現地にはなにも裨益しないという、「中国による中国のためのプロジェクト」だったことが分かり、世界中が反発した。

貧困な国々は借金の罠に落ち、その利払いだけでも経済を苦しめる。ＢＲＩを、米国外交評議会のレポートは次のように総括した。

「中国外交の『宝石』だった。しかし世界の破局を導いた」

こうして中国依存だったアジア諸国の中国への信頼は（もともと希薄だったが）、薄まった。

▼食糧買いだめの中国、食糧禁輸のアジア

中国で食糧買いだめが起きており、周辺国は対中食糧禁輸体制に入った。

「食糧は十分備蓄がある。買いだめをしないように」と当局が通達を出した。すると、中国の庶民は、これを逆さに読む。ますます買いだめに走る。異常な売れ行きの筆頭はコメと食料油だ。

スーパーではマスク、トイレットペーパーの棚が空っぽ、つぎにコメのコーナーが空っぽの映像が流されていたが、いまは削除されている。さすがに「上に政策あれば、下に対策あり」

の国だけあるなぁ。

「武漢は安全になった」と言えば、庶民は逆に武漢から逃げ出した。工場の生産は一〇〇パーセント復帰したといえば、なぜ鉄道もバスも止まっていたのに？ と考えるだろう。

台湾の農業委員会が四月一四日に警告した内容は、中国が世界中で五〇〇〇万トンのコメを買い占めているとし、世界の市場で穀物価格の急騰がみられるというものだった。

すでにベトナム、カンボジア、ミャンマー、タイなどコメ、小麦の禁輸措置をとっている。

中国当局がもっとも怖れているのはコロナ危機によって「食糧寄こせ」を叫ぶ暴動が起きることだ。失業者が街に溢れているが、その暴動予備軍である。その次は餓死の危機だ。

前述のようにサバクトビバッタによる蝗害は、パキスタン、インドに達しており、新疆ウイグル自治区、あるいはミャンマーをこえて雲南省へまわりこむ可能性が日々高まっているからである。

中国のインターネット情報センター（CINIC）の統計速報によれば、二〇二〇年三月までのSNS状況で、中国のネチズンが九億四〇〇万人、このうちインターネットのユーザーは六四・五パーセントにのぼるという。二〇一八年の統計では、中国のネチズンは七億五〇八〇万人だった。

『サウスチャイナ・モーニングポスト』(二〇二〇年四月二八日)が報じたところでは、とくに農村部での普及が顕著となり、同時点での農村部におけるネチズンが二億五五〇〇万人。出稼ぎ労働者が故郷と携帯電話で交信している。かれらのスマホはファーウェイではなく、廉価のOPPO《オッポ》か小米《シャオメイ》である。

ただし中国ではツイッター、フェイスブック、グーグルが禁止されており、チャットのウィボは四六時監視されている。共産党を批判したり、習近平の悪口を書いたりすれば、すぐに削除され、追求される。上海で習近平のポスターに墨をかけた女傑はすぐに割り出されて拘束され、拷問、薬物投与があったのだろう、最近のネット情報に拠れば彼女は廃人同様という。

ならば中国のネチズンは、外国の報道ともアクセスがなくて、いかなるニュースを読んでいるのか。人民日報、新華社など、いずれも無料配信。洗脳目的の情報しか与えられていない。

香港は通信ビジネスの先駆的役割を担い、八〇年代初頭には自動車電話が普及していた。それほど電話の先進国だった。携帯電話にまっさきに飛びついたのは香港市民で、このときは音声だけだから、バスの中は闘鶏場のような喧噪。街中で喋る。どなる。しかも大声だから阿鼻叫喚、大変な騒ぎだったが、それが消えた。文字通信が主流となり、電車の中は静かになった。これだけは日本化したのだ。

しかしネットの発展がどれほど迅速であろうとも、中国人が対抗できないのが自然災害である。疫病が王朝を滅ぼしてきたという過酷な歴史を持つ中国は、その規模によって世界史をも変えてきた。「水、干、疫、蝗の循環」が中国史を作ったともいえる。大洪水、干ばつ、疫病、とりわけ伝染病の大流行、そして間近に迫ったと警告の出ているのは東アフリカから南西アジアに猛威をふるう蝗の大群である。

すでに中国は四回の緊急会議をひらいて対策を練った。随・唐、元、明、清などの王朝は、これらの災禍によって崩壊し、滅亡し、あるいは崩壊を早めた。

日本の場合は地震、台風、まれに火山の噴火、もっと稀に飢饉が起きたが、中国の荒々しさに比べると規模が小さい（火山噴火で滅亡した典型は鹿児島上野原縄文集落で、紀元前五五〇〇年前）。

中国では飢饉が屡々繰り返してきたから人肉を食するし、けだものも好物、ハクビシン、コウモリ、何でもござれ。

「水、干、疫、蝗」が周期的に、連鎖的に起き、例えば水害地跡には疫病が流行し、干ばつに見舞われれば蝗が異常繁殖して人に害を及ぼす。原因は異常気象と文明による自然破壊だ。紀元前一七六六年から一九三八七年までの三七〇三年間に水害、干ばつ、蝗害、雹、台風、地震、大雪などの天災は合計五二五八回もあった。

エイズ禍も似たようなもので、情報隠蔽が被害を激甚にしてしまった格好の例である。

二〇〇三年に河南省で流行したのは献血の奨励、その注射針の使い回しだった。性行為ではなく罹患者の血液を採取したその同じ注射針で、まったく感染していなかった人たちからの献血を受けた。当初の発表は二二五一七名だった。その後、国連は一〇〇万人ではないかとし、NGOの専門家チームは一二〇万人もいるとし、河南省の文楼村は「エイズ村」として悪名を轟かせる。

こうみてくると近未来の中国の行方が透けて見えてくる。

武漢から発生したコロナウイルスは、その災害の範囲が中国全土から世界中に感染が拡大した。懸命に生産回復を喧伝しているが、本格化には長い時間がかかるだろう。

多種の災害が互いに関連しており、複合的に悪循環を繰り返すため状況は改善されるどころか、かえって酷くなっている。封鎖された都市、工場に復帰できない労働者の群れ、そして蝗害の予想。飢饉が押し寄せてくる不安におののいている。

▼ウイグルの強制収容所で「再教育」を「卒業」したウイグル人は?

ウイグル問題の直接的な発端は二〇〇九年六月二五日に溯る。

広東省韶関にある玩具工場で、漢族男性がウイグル人の女性従業員を乱暴したという事件を切っ掛けにウイグル人従業員が抗議、それが騒動となって大乱闘。二名が殺害された。

情報はすぐに新疆ウイグル自治区に伝わり、省都のウルムチで学生達が抗議行動を開始、警官が出動して発砲。公式発表では一九二名が殺され、一七二一名が重軽傷を負った。ウイグル亡命組織は「数千名が殺害された」とした。

西側メディアは一斉に中国の血の弾圧を批判した。さらなる弾圧を怖れた学生、労組指導者らは隠れ家を求め、一部は隣のカザフスタンへ逃げ込んだ（その一部、およそ千名がトルコ経由でISに加わった）。

チベット弾圧で悪名を馳せた陳全国（元河北省省長）が、二〇一六年八月に新疆ウイグル自治区の書記に任命され、ここからウイグル人への無慈悲な弾圧が強化された。

百万人以上の強制収容所を砂漠に急遽、造成し、事実上の「監獄」を「再教育センター」とか、「職業訓練所」と称して、ウイグル人を片っ端から収容した。所内では漢語の強制、イスラム教の影響を抜き取るために豚肉を食べさせ、ウイグル人の文化的背景を漢族風に洗脳する目的だった。

実際に収容所では中国語を教え、中国の法律を叩き込み、そのうえ中国共産党の獅子吼する「愛国」教育を徹底させた。その一方で、縫製、メカニカルエンジニアリングから、ホテルの清掃のやり方までを教育、訓練した。

反抗したウイグル人が相当数、拷問され、収容所内で死亡した。これらはその後、亡命に成功したウイグル人女性によって米国議会の公聴会の証言でも明らかにされ、米国の人権団体の抗議をこえて、議会人は超党派で中国への批判を強めた。

トランプ政権はウイグル弾圧に用いられたとして監視カメラ、顔面識別、ＡＩ技術を製造するハイクビジョンなど中国企業の二八社を「ＥＬ」（ブラックリスト）に加えて取引停止とした。ペンス副大統領の二度に亘る対中批判演説にはこれらの裏付けがあった。

ウイグル人の他省、工業地帯への移動は、安く酷使できる労働者の増強という目的に加えて、ウイグル人女性と漢族男性との結婚奨励、形を変えた民族浄化（エスニック・クレンジング）にあった。結婚は半ば強制だったと多くの証言がある。

『サウスチャイナモーニングポスト』（五月二日）によれば、強制収容所から、中国全土への移送が開始され、工場へ労働者として送られている。狭い寮で生活し、外出は出来ず、賃金は月給一二〇〇元から四〇〇〇元程度（ウルムチの平均可処分所得は一七九一元）。つまり「監獄から、別の監獄へ」移動されるのだ。移送に際しては大きなマスク、胸部に赤い花のピンを大きな目印として、長距離バスなどがチャーターされた。偵察衛星でこれらの移動が確認されたという。

安徽省には既に一五六〇人が到着したと安徽日報が報じた。深圳のハイテク工場には五万人が割り当てられたが、各社が不況陥落のため、一五〇〇〇名しか受け入れないという返答があった。二〇〇九年に殺人まで起きた騒動の発祥地である広東省の玩具工場なども数万人の労働者の受け入れを発表、福建省のアパレル工場にも派遣が決まったという。移動を強いられる地区は、武漢ウイルスの感染が大きい地区でもある。

オーストラリアのシンクタンク「豪戦略政策研究所」のレポートでは、八万名が移動したとし、またウイグル収容所の「卒業生」を労働者として受け入れたか、これから受け入れる企業名にはグーグル、マイクロソフト、アップル、シーメンス、ナイキ、ロコステ、サムソン、アディダスのほか、ユニクロ、ソニー、三菱の名前をあげている。

また欧米の偵察衛星によると、ウイグル自治区でイスラム教の墓地が整地され、ブルドーザで急遽速成された小さな墓地に移されているという。地元住民は「ご先祖の墓がなくなり、新しい墓場は画一的な、同じサイズの墓で、誰が誰の墓なのかわからない」と不満の声をあげている。

▼広州で起きた黒人差別が外交問題に発展する

欧米で中国人への蔑視、アジア系への差別が顕著だが、中国でも黒人差別が顕著になった。広州とその周辺にアフリカ人（とくにナイジェリア、マリあたりからの貿易商や流れ者）が多い。日本でも繁華街でショップ前での黒人の呼び込みが盛んだが、同様な光景が、とりわけ広州市で夥しい。

コロナ流行以後、黒人が病原体を運んだなどという噂が広がり、広州市では一九〇〇人が強制的に検査を受けた。強制検査ばかりか、住居を追い立てられ、レストランは入場をことわられ、ホテル宿泊も露骨に拒否される。

こうして広州における黒人差別に対して、在広州の米国領事館は異例の警告を発した。疫病の流行時には人種差別、異端者の迫害などが起きる。一四世紀に欧州を襲った黒死病は二年間ほどの流行となって社会を壊滅させた。一時期はユダヤ人の感染率が高いとして、ユダヤ人虐殺が起きた。シナゴーグが元凶とされた為だった。後の調査では、カトリック教会の感染者もユダヤ人のそれも同率だった。人種偏見による迫害、虐殺は歴史的にも繰り返されてきた。

広州で起きた黒人、とりわけアフリカ系アメリカ人に対する差別に、米国領事館が警告を出した。つまり外交問題に発展しているのである。広州に滞在しているナイジェリア人らがアパートを追い出され、ホテルは宿泊を拒否され、あげくにレストランに入れない。路上では黒人と見ると強制的に検査を受ける。明らかな人権抑圧である。

西尾幹二氏は「中国は反転攻勢から鎖国へ向かう」（『正論』二〇二〇年六月号所載）で次のように警告される。

「なにか途方もなく怖ろしいことが中国人の運命に刻々と迫っているような気がしてならない。国家も国民も何かに追い詰められている。公私ともに借金を重ね、支払うべき金利だけで天文学的な数字を積み重ねている」

いったい何が起こるのだろう？

いや、それを避けるために中国は新バージョンの「西部開発」を計画している。先ごろ発表された「二〇三五　西部開発ガイドライン」はウイグル自治区を含む西部一帯をエコロジカル志向、創造的環境の改善、高品質の開発を謳っている。

一〇年前にも「西部開発」が謳われたが、当時の柱は鉄道建設、トルクメニスタンからのパイプライン建設。そして砂漠の緑化などが柱だった。

新バージョン「西部開発」の主旨は、二〇三五年までに西部地域のインフラ整備を終え、公共サービスを高め、住民の生活レベルを向上させ、東部の標準にまで均等化するというもの。三つの優先課題は「創造的能力の継続」、「工業近代化のシステム構築」、「需給関係の高度能率化」と曖昧な語彙を並べている。いかにも党官僚の作文という感じである。中国共産党中央がいだく危機意識が金融危機回避、環境汚染の深刻化、貧困からの脱出にあり、この基本に沿うようなガイドラインとなっている。都市と農村部の整合的な開発政策、インフラ建設の継続と社会の安定が、こうしたプロジェクトによって達成されると明るい見通しを語る。そしてシルクロード国内版のプロジェクトをここに連結させている。だが、作文はしょせん作文なのだ。例外的実績は5G局の大増設と拡充ぶりである。デジタル通信網を急ぐ中国において4Gのユーザーは一億二八〇〇万人、チャイナモバイルはすでに三〇万ヵ所の5G基地局建設を年内に終えるとしている。チャイナユニコムとチャイナテレコムは共同で二五万局を、おなじく年内に完成するとしている。

抽象的なガイドラインの本当の狙いは、世界に先駆けての5Gシルクロードにある。

▼湖北省公務員が湖北省政府を相手取って訴訟を起こした

中国でも正論を言う人間が出現した。

任志強は以前にも習近平を露骨に批判して一年間、発言を封じ込められていた。ほかに比べて処分が軽かった理由は、王岐山（国家副主席）が後ろ盾にあり、「紅二代」ゆえに大目にみられたのだ。任志強の中学時代、家庭教師が王岐山だった。

二月二三日、アメリカの華字サイト「中国デジタル時代」に任志強は「（習近平は）化けの皮が剥がれても皇帝の座にしがみつく道化」だと、わかりやすい批判を展開した。

「中共内部が執政危機に直面し、言論の自由を封じていることが、新型コロナウィルス感染対応任務の阻害になり、深刻な感染爆発を起こした」と批判するものだった。

任志強はさらに過激に批判をエスカレートさせ、習を「裸の王様」とし、「恥部を隠す布きれを一枚、一枚掲げてみせる道化。貴方を滅亡させる決心はついた」と言いはなった。そして四人組打倒のような政変劇を示唆し、おっと大丈夫かと懸念していたら、やはり行方不明となって、四月早々に公安に拘束されていることが分かった。この一件でも推定できることは、党内の空気がいかにささくれ立っているか。そして長老たちの間に秋の五中全会では「習解任」を求める動きがある。

湖北省の公園管理職員・譚軍氏は湖北省政府を相手取って訴訟を起こした。

武漢市の中級法院に告訴した理由は「情報の隠蔽が感染の拡大を招いたのであり、人民の生命と財産に重大な損失を与えた」とした。

形式は損害賠償ではなく省政府の謝罪要求である。しかし公務員が政府を相手に告訴は中国では珍しい。とくに原告の譚軍は、昨年末からすでに感染が起きていたにも関わらず湖北省政府が一月一一日の公式文書において否定していたことを証拠文書としてあげ、そのうえ感染が急拡大していた時期にさえ感染情報を隠蔽し、湖北省人民代表大会を武漢で開催した。このため参加した各地の代表から各地に感染が拡大してしまったと訴えた（結局、却下された）。

米国は各地で中国に損害賠償請求の裁判を起こしているが、トルコ、エジプトでも同様な動きがあり、英国でも、中国を訴追する主張が顕著となっている。

企業の損害としては最悪の被害を受けているのは日本だ。しかし日本企業は訴訟に慣れないため、英米の動きを静観しているばかりである。

WHAT NEXT

第三章 アメリカのV字型回復はあるか

「科学の精神という言葉で理解しているのは、ソクラテスという人物においてはじめて世にあらわれた信念、自然が究明できるものであり、知識が万能薬的な力を持っているというあの信念にほかならないのである。この前進して休むことを知らない科学の精神が、さしずめどういう結果をもたらしたかと考えてみるひとは、神話がそのために滅ばされたということ、この破滅によって文学もまたその自然の理想的地盤から追い出され、故郷を失うようになった」

ニーチェ『悲劇の誕生』秋山英夫訳（岩波文庫）

▼「米国GDPはマイナス四〇パーセント」と予算局予測の衝撃

世界一の投資家・ウォーレン・バフェット率いる「バークシャー・ハサウェイ」は五月二日に株主総会を開いた。

席上、バフェットは「コロナウイルスの感染拡大によって世界が変わる。保有してきた米航空株を全て損切りで売却した」と発表した。同社の最終損益はおよそ五兆円の赤字となる。

衝撃の異常事態である。

二月に買い増した「デルタ航空株は間違いだった」としたバフェットは、「航空機需要がもどるには三年から四年かかるだろう」と悲観的予測を示した。カリスマとして崇められた投資の神さまの失墜である。投資家のみならず世界の経済学者、エコノミストがバフェットの悲観論に驚きを隠しきれなかった。

二〇〇八年のリーマンショック直後、米国のGDPはマイナス八パーセントだった。この数値はウォール街では衝撃となって往時もマインドがすっかり冷え込んだ。

米国予算局は四月二五日に、二〇二〇年第二・四半期（四月〜六月）のGDPをマイナス三九・六パーセントと予測した。同予算局の四月初旬の予測はマイナス二八パーセントだったから大幅な下方修正である。それにしても四〇パーセントもの下落とは！

同じ日に「バイデン（元副大統領）はアメリカにとって危険」、「奴は中国の味方だ」とトランプ陣営、テレビCMでバイデン親子の中国との密接関係攻撃を開始した。そうだ。アメリカは大統領選挙の最中だったことを忘れていた。

武漢ウイルスで米国の政局は嵐に遭遇したように大荒れとなり、民主党の党大会は一ヵ月延期され、各州のコーカス（党員集会）や州大会が延期もしくはネット投票となった。

批判されてばかりいたトランプ陣営、コロナ対策に追われて反論するどころではなかったが、ようやく選対本部がCM作戦を開始した。世論調査ではバイデン候補がトランプ大統領を越えているが、前回同様五パーセントの修正値を用いれば、トランプ大統領の支持率のほうが高い。

バイデンは中国の味方であり、アメリカにとって危険な男、とりわけバイデンの息子が中国企業と組んで、怪しげなファンドを創設していた過去のスキャンダルにからめたキャンペーンをトランプ選対は重点的に展開した。バイデン候補の息子はウクライナでも不法な所得を得ていたことが判明していた。トランプ陣営はウクライナのことも取り上げて批判を分散するより、全米に拡大した顕著なアンチ・チャイナという空気を活用し、中国との絡みに焦点を絞った攻撃という作戦に転じた。

反中国感情に大統領選挙のキャンペーンも活用されるほど、米国の空気は異様な状況にある。

左翼メディアはトランプの対立軸にニューヨーク州のアンドリュー・クオモ知事の活躍を、まるでトランプの対抗馬のように報じた。これも間接的なトランプ攻撃であることは見え透いている。クオモの父親は元のニューヨーク州知事。レーガン、ブッシュ時代の民主党の対抗馬に噂されたこともあったがパフォーマンスが多くて偽善的と批判され、晩年はテレビ番組の司会者を務めていた。アンドリューはビル・クリントン政権では住宅開発庁長官を務めた。日本のメディアは、この点で米国とまったく異なる。中国元凶説を報道しない。コロナ災禍を安倍政権の不手際だと、問題をすり替えるキャンペーンが繰り返されていて、これもまた異常である。

米国で死者は一〇万人を越えた。これに迫るのがイタリア、スペイン、フランス、英国だ。いずれもEUの中枢国家である。

これらと比較して日本の感染者数ならびに死者が少ないのは、医療制度がよく日頃から保険システムの下で、医療が万全だったからか？

中国ウイルスは欧州での感染から凶暴化した。感染の過程で変異が見られ、日本に入り込んだウイルスは初期のものだったためそれほど凶暴ではなかったという説もあった。BCGを打っていたから安心だとかの説も流れた。専門外の筆者には詳細はわからないが、欧米先進国と比較して日本の被害が顕著に少ない。

それより、もうひとつ異常だったのは、米国の特効薬レムデシビルを電光石火に承認した一方で、国産のアビガンの承認は遅らせるという不思議な日米差別。この詳細は専門家に譲るが、どうみても不思議と言わざるを得ないのではないか。

▼中国投資から手を引け

中国の対外投資は二〇一六年がピークで一九六〇億ドルだった。一八年に一一七〇億ドルへ減少し、一九年には激減、二〇二〇年は中国資本の外国企業M&A（企業買収・合併）ニュースは聞かなくなった。

三月にエレン・ロード米国防次官は「中国資本が巧妙に米国の軍需産業の中小企業買収に動いているのは深刻な安全保障の問題だ」と発言した。

EUが呼応した。マレグレッタ・ヴェスタヤーEU競争委員会コミッショナーは「中国関連株の投資を抑制しなければならない。また中国資本がEU域内のヘルス、バイオ、医薬品企業の買収に動いていることに警戒すべきである」とした。

EUは一七もの投資関連規則を改正し、ハイテク、エネルギーに加えて生活の基本に冠する分野ならびにコロナ災禍で露呈したマスク、医療品、製薬分野における中国の株式投資、あるいは買収を厳格に規制するとした。

オーストラリアのジョシュ・フライデンバーグ財務大臣は「オーストラリア企業で経営難に陥ったところが（中国のカネに）狙われている。オーストラリアは法改正が必要となった」と述べて警告した。

インドは四月一七日に、明らかに中国を名指しして、買収の規制強化に踏み切り、駐デリー中国大使は「これは自由で公平な貿易に反するものだ」と反駁した。

他方、中国債権へのオフショア市場に於ける投資は活発であり、二〇二〇年三月末現在、三一九〇億ドルが外国籍のファンドから投入されている。

トランプ大統領は公的年金（五五八〇億ドル規模）の投資先から中国企業株を禁止すると発言した（五月四日）。五〇〇万人が加盟する公務員年金の規模は五五八〇億ドル、世界の有料企業、およそ三〇〇〇社の株に投資している。

ポートフォリオ全体はMSCIインデックスに反映するが、中国銘柄は香港に上場されている一九六社、全体の四・九パーセントである。

トランプはアリババ、テンセント、中国建設銀行などを組み込んだ年金ファンドに対して中国銘柄を規制すると示唆した。ところが市場の反応といえば、「シェアも少ないし、投資している金額が少ないので甚大な影響はないだろう」と歯牙にもかけない風情である。

しかし米上院は「外国企業説明責任法案」を全会一致で可決している。

マルコ・ルビオ上院議員を筆頭にトム・ティルス、ベン・サッセ、ジョン・コーニョン、トム・コットン、ミット・ロムニー（以上共和党）に民主党のジェフ・メークレイ議員らがムニューチン財務長官に書簡を送り、「米国の中小企業でハイテク、宇宙航空、エネルギー分野の枢要部品を製造するなどしている企業が、コロナ災禍により経営がふらついている隙を衝いて、中国資本に狙われている」とし、緊急の対応策をとるよう求めた。

「とくにコロナ以後、株価が下落して資金調達に難儀をきたしている企業を、中国政府のファンドに支えられた中国資本が民間ファンドを装って、買収攻勢をかける傾向が見られる」とし、なんらかの強い対応策が必要と訴えている。このルビオ書簡は五月二〇日のことである。

同書簡のコピーはポンペオ国務長官とオブライエン大統領国家安全保障担当補佐官にも送付された。

同様な規制措置はEU、インド、豪にもみられ、とくに豪州は中国に対して強い法的措置を準備している。

五月二〇日には上院で「外国企業説明責任法」が可決され、ただちに下院へ送付されている。全会一致だった。下院も対中国に関してはほぼ超党派の合意が成立しており、トランプ政権の中国政策に関してだけは足並みを揃えている。ただし同法は、中国を名指ししてはいない。

この外国企業説明責任法は、第一にウォール街に上場している怪しげな中国企業の在り方を問うものである。会計報告、企業報告の不透明な情報公開を続ける企業に対しては強制的に上場廃止ができる内容となっている。当局は会計検査を義務づけ、三年しても改善がみられない企業を対象としている。

ナスダックにはアリババ、百度《バイドゥ》、テンセントなど中国企業がひしめき合うように上場しており、会計監査法人の監査を情報の誤魔化しなどですり抜けてきた。トランプ大統領は、「中国企業がウォール街を忌避し、ロンドンや香港や、フランクフルトなど他国の株式市場に上場先を振り替えても一向に構わない」と強気の姿勢を崩していない。

アフリカに武漢コロナの猖獗が本格化しだした。公式統計は五月四日段階で感染者四万四〇〇〇名。死者は一七〇一名。

ただしこの統計から漏れた夥しい死者が出ている模様だ。ほとんどのアフリカ諸国は中国の「シルクロード」プロジェクトに乗っかり、多額の債務を抱える事態になっていたことは周知の通りである。左ページに掲げた表にもあるように世界で二三ヵ国が危機的状況に陥っている。

中国の鳴り物入りだったプロジェクトも、本質がアフリカ諸国援助ではなく、収奪目的の新植民地主義と批判され、昨今は「コロナ・ロード」と批判が渦巻くようになって、工事中断、明らかに頓挫した。疫病の拡がりは新しい問題を浮上させた。

表：ハイリスクの23ヵ国（中国の借金の罠に落ちそうな国々）

東、東南アジア	カンボジア、モンゴル、ラオス
中央アジア	アフガニスタン、パキスタン、キルギス、タジキスタン
南アジア	スリランカ、モルディブ、ブータン
中東	イラク、ヨルダン、レバノン
アフリカ	ジブチ、エジプト、エチオピア、ケニア
欧州	アルバニア、アルメニア、ベラルーシ、 ボスニア・ヘルツェゴビナ、モンテネグロ、ウクライナ

出典：グローバル開発センター（米ワシントン　2018年3月時点の評価）

直近でもアンゴラ、ザンビア、スーダン、コンゴが、コロナ感染対策の医療設備、病院建設などで、過去の借金の清算（つまりチャラにしてくれ）を中国に要請した。中国はその要求には応じられないとし二国間協議を拒否したが、支払いの延長、ローンの組み替え（リスケ）には応じる姿勢という。

ちなみにＩＭＦが掌握している各国の対外債務はアンゴラが八五四億ドル、エチオピアが一三八億ドル、ケニア八九億ドル、ザンビア八六億ドル、スーダン六五億ドルと見積もられている。

ブルッキングス研究所のアフリカ専門家ユン・サンは「中国の債権と株式のスワップには応じるだろう」と予測する。つまり相手国の担保を中国の債権に化かす方式、高利貸しの常套手段である。

アフリカの「輝ける発展」が約束されたのではなかったのか。

原油生産で経済成長がめざましかったのはアンゴラ、南スーダン、ナイジェリア、赤道ギアナ、コンゴの諸国だった。観光で経済発展をとげてきたのが、モーリシャス、セイシェル。そして鉱山開発、鉱物資源の輸出でのしあがろうと中国資本を受け入れてきたのが、南アフリカ共和国、ジンバブエ、ザンビア等だった。

二国間交渉では埒があかないと認識したアフリカ諸国は連合し、IMFに対して、一〇〇〇億ドルの救済パッケージを要請する一方で、四四〇億ドルの債務の借り換えを申し出た。世銀の見積もりではアフリカ全体の債務は五八四三億ドルに達する。

G20（グループ20）は、当面五億ドルの救済に応じることで合意が得られたが、中国の巨大な債務に関して、G20としては直接的な貸借関係がなく、中国の問題であるとした。中国はアフリカの四九ヵ国に合計一四三〇億ドルの債権があると米ジョンズ・ホプキンス大学は見積もる。

保守強硬路線の茶会（ティーパーティ）系で中国に対して強硬な態度で知られるテッド・クルーズ米上院議員は「米国は中国のなした借金外交と、その結果には無関係であり、アフリカの債務処理問題に介入の必要はない」と発言している。

▼「中国製造二〇二五」を頓挫させよ

トランプ政権が目標としているのは「メイド・イン・チャイナ二〇二五」の遅延と究極的な

破壊である。

押して押して押しまくる、対する習近平は防戦一手、反撃の戦略が不在のようだ。

５Ｇでは先を越されたが、次の６Ｇ開発を含め、次世代ハイテク競争では主導権を中国から奪回することに優位が置かれている。半導体製造装置や、半導体設計技術が輸入出来なくなったため中国は「半導体、ＣＰＵ、ＯＳを三年以内に自製する」として反撃に出た。米国の大学や企業、ラボなどに「研修」目的で派遣してきた「留学生」に帰国を命じ、なんとか自国内での生産を達成する段取りを組んだが、こんどは台湾企業などが中国から撤退を始めた。

米国がファーウェイ（華為技術）やＺＴＥ（中興通訊）などを排斥したのは、「５Ｇ」と「ＡＩ」の開発で中国のリードを許してしまったと認識したからだった。

半導体を米国に依存していたＺＴＥは、トランプの制裁により半導体入手が不可能となり倒産しかけた。ファーウェイは半導体の一部を自製しているが、大半を台湾、韓国、そして日本に依存してきた。

世界最大の半導体工場・ホンハイ（鵬海精密工業）は、広州に完成させた新工場を稼働させず、米国ウィスコンシン州とインド、そして一部を台湾へ戻す。この広州新工場はペンペン草が生え、日本から出荷寸前だった製造機械やラインは船積み前に待ったがかかった。そしてインテルは主力工場をイスラエルへ移転し、サムスンは大連と広東省の半導体工場を閉鎖、ベトナムへ移転した。

こうした改変によって世界のサプライチェーンが激変、中国の生産計画が狂った。中国が世界の工場であり、部品が台湾、日本、韓国から輸出され、完成品が欧米へ輸出という構図は縮小的に変形し、中国の通信機器、基地局が米国、オーストラリア、ニュージーランドから締め出された。遅ればせながら日本も米国の方針に追随して、ファーウェイ、ZTEの基地局は不使用とした。

トランプ政権はELにファーウェイ、ZTEに追加してセンスタイム（商湯科技）、メグビー（北京曠視科技）、ハイクビジョンを加えた。監視カメラ、顔識別などのハイテク企業がウイグル人弾圧に使われていることが排撃の理由。さらに検閲の技術をもつバイトダンス（ティックトックを運営）なども加えた。AI、5Gの開発企業だからだ。

あまつさえ中国が自製すると願望しても、5Gの根幹技術は4Gの延長だから米国の特許である。OS（オペレーションシステム）はグーグルのアンドロイド、MSのウィンドウズなどであり、独自のOSを中国が確立するには、一からのやり直しとなる。「非アメリカ化」のスローガンこそ勇ましいが、早期の達成は不可能ではないのか。そこで、米シリコンバレーからイデオロギー色の薄い理工系エンジニアの相当数が中国へ渡った。

「ファイブアイズ」のコロナ報告書が漏れてきた。

ファイブアイズとは米国、英国、オーストラリア、カナダ、ニュージーランドの情報機関が秘密情報を共有するシステムである。

米国では中国への批判がますます高まり、議会議員は三〇〇近い中国非難決議、制裁法案を準備している。三月だけでも三〇本の中国制裁法案が、上程された。

審議入りをするかどうかを決めるのは院内総務や下院議長だが、コロナ騒ぎで議会は事実上審議中断になったため、公式的な対中制裁法などがすぐにまとまるという展望にはない。ホワイトハウスは合計三兆ドルの支出を決め、中国よりのWHOへの拠金を中断すると発表し、ついに五月三〇日にトランプ大統領はWHOからの脱退を表明している。

州議会も活発に中国非難決議の採択を始めた。とくにウィスコンシン州議会のロス上院議長は「中国共産党を丸裸にし、その残忍な姿と中国が新型コロナ感染を隠蔽したことで全世界に与えた損害とを明らかにする」とした。

矢面に立つ中国は、元凶説をしゃあしゃあと否定し、責任転嫁に舵を切り替えて逆宣伝を開始した。責任のがれのために他人への責任転嫁するのが定石だ。

「武漢は抑え込んだが、第二次感染は外国からだ」と言い張り、こんどは「第三次感染者増はロシアからだ」と言い始めた。立腹したロシアは中国との国境の検問をさらに厳格化し、中国側も検問を強化、にらみ合った。

その中国では失業が急増し、当局の発表でも「最貧層が五五〇万人いる」とした。中国の定義で「最貧層」とは年収が三二六ドル以下（月収ではない。年収が三万五〇〇〇円以下で暮らしている人々が、東京都の人口の半分いるということである）。

このような状況下、「中国は意図的に情報被害を隠匿し、証拠を消し去った。結果、悲惨な状態を世界にもたらした」とする報告書がファイブアイズの国々に行きかった。この報告書は一五ページにおよび、この機密情報を何故か豪紙『ディリー・テレグラフ』が入手して報じた。「中国の秘密主義は世界の情報の透明性への暴行と言える」と書きだされ、「疫病の発生は最初から伏せられ、人から人へは伝染しないとされ、告発した医師は隔離された。ネットから『SARS』、『未知のウイルス』、『武漢海鮮市場』という項目を検索しても、出てこなくなった。二〇一九年一二月三一日から監視され、削除されていた。一月三日には証拠となる書類、サンプルが破壊された」とファイブアイズ報告書は言う。

一月二〇日に、人から人への感染拡大が伝わった。しかし中国当局は否定し、WHOには問題ないと報告し、執拗に真実の隠蔽を続けた。しかし台湾は一二月三一日の時点で、情報を入手していたようで、香港も一月一四日には対策を具体化している。

FOXニュース（五月一日）は、ただちにこの問題を追及して追加報道をしたが、批判もくわえ、豪紙が「武漢のラボから漏れた説を首肯せず海鮮市場からの可能性をまだ含めている」とした。

トランプ政権は武漢のラボから漏れたという立場で、それが意図的だったと証明されれば中国に罰を与えるとしている。

▼最悪の被害が資本主義の象徴ニューヨークになろうとは！

日本のメディアが「新型コロナウイルス」などと呼称し、報道しているのは中国の命令に従っているからだと勘ぐらざるを得ない。

この疫病の発生は、「中国湖北省武漢」であることはほぼ間違いのないことだ。

ポンペオ国務長官は断固として「武漢ウイルス」とし、トランプは「チャイナウイルス」と呼ぶ。元凶をわすれてはならないからで、「放火魔が消防夫のふりをする」中国の欺瞞を許せないからである。いったい日本のメディアは誰に遠慮して「新型コロナウイルス」などと何時まで報道を続けるつもりなのだろうか。

さてニューヨークの惨状は筆舌に尽くせないほどもの凄い災禍となった。

日本人のニューヨークのイメージは五番街とブロードウェイの中心街タイムズスクエア。新名所はフィフス・アベニュー五七丁目のトランプタワーだ。しかしマッハンタンはニューヨークのすべてではない。高級コンドミニアム、タワーマンションが林立するマッハンタンに住んでいる人は金持ちである。だが三番街あたりへ下ると中産階級の安アパート、もちろん玄関にガードマンはいない。くすんだような煉瓦、落ちてきそうな安普請の窓や壁、かび臭い古い共同住宅が建ち並ぶ。

南へさらに下るとイタリア人街、そしてどっと急増発展を繰り返すチャイナタウンが隣接している。ここはクーリー（苦力）で渡米してきた中国人労働者が居残って拓いた街で、おもに広東人である。

北のハーレムへ行くと貧困世帯が多い。八〇年代までニューヨーク警察はマッハッタンの中心部だけを警備しているのか、と住民の批判があった。

湾をまたいでマンハッタンの西側に位置するのがクイーンズ、北にブロンクス、南がブルックリン地区。多くは中産階級から貧民街。クイーンズは名前とは正反対で、黒人、ヒスパニックに近年急増したアジア系移民がほとんどで、この列に旧東欧からの移民が加わる。

ユダヤ人のゲットーを彷彿させるような旧式で安普請のアパート。そのうえ１ＤＫのスタジオタイプに数人、２ＤＫに二家族が住み、窮屈な生活空間に閉じこめれている。ニュー・チャイナタウンはクイーンズ地区のフラッシングにあり、福建省の人たちが最初に拓いた。このチャイナタウンに小判鮫のようにくっついているのがコリアンタウンだ。

米国の感染者の内訳を見ると、黒人が白人の感染者より八〇パーセント多く、ヒスパニックは七〇パーセント、アジア系が四〇パーセント多いことが判明した。

これは米テキサス州のヒューストンにあるメソジスト病院の調査結果が発表され、コロナウイルス感染者の民族的比率を比較した。

この調査は三月五日から三五〇〇人を対象におこなわれ、同病院はＨＩＶの感染率を調べたノウハウを持つ。ニューヨークでも死者の多くが黒人、低所得者である。古びたアパートや安普請のマンションの狭い部屋に集団で暮らす低所得者は「密集」「密接」であるがゆえに、誰かが感染すると、すぐに拡がるからだ。

英国では医療関係者の死亡が夥しかったが、死者の七五パーセントが黒人とヒスパニックだった。

米国のメディアは「白人」とは最近は書かないでコーカシアンと表現する。黒人も「アフリカ系アメリカ人」である。白人のルーツはコーカサス（カフカス）とする学説があり、ノアの方舟が漂着したのはアララット山とされるからだ。

▼大乱世を生き抜く

閑話休題《それはともかく》。米国の最初の感染は西海岸で、ワシントン州シアトル。中国から帰った中国系アメリカ人、武漢から帰ったアメリカ人が感染していた。

トランプ大統領は当初、西海岸、ハワイなど中国系移民の多い地域の問題として重視していなかった。ところが逆方向からウイルスが東海岸へ忍び込んできた。欧州で感染して米国に帰国した人々、とくにイタリア旅行帰り、迂回した伝染だけに対策が遅れた分だけ、ウイルスは凶暴化していた。

ニューヨークの貧困世帯に感染が出ると同居している人たちはほぼ全員が感染している。だから爆発的に拡がって、外出は禁止され、スーパーの買い物の列は一・八メートルの距離をあけるというソーシャル・ディスタンスとなり、ビジネスビルは封鎖され、地下鉄の一車両に一人とか二人しか乗っていない。

アメリカ人も、世界の人々同様に未知なる病原体に対しては未知であるがゆえに、恐怖心理に陥る。次は自分が感染するのではないかという強迫観念に取り憑かれる。

しかし日本と異なって米国は迅速果敢に強硬手段に出た。西海岸に猖獗していた段階では中国からの乗り入れを制限し、やがて全便を欠航させたが、かなり遅れての欧州からの全便乗り入れ禁止措置となった。間に合わなかった。

そもそも欧米の人々は、マスクをしないし、共同ビルのトイレは衛生対策よりも、鍵が無いと入れないほどに治安対策だけはしっかりしている。ところが、便所へ行くにしても手を洗う習慣はない。入浴はしない。体臭があるから香水、オーデコロンが売れる。感染の拡大は、このような衛生状態では予測されたことで、疫病の蔓延が加速度的に拡がる素地があったのである。米国海軍の艦船の死者も世界最悪となった。それなのに中国は「アメリカ軍が持ち込んだ」と言い放った。怒り心頭のアメリカは中国を絶対に許さないだろう。

ここで古代中国の指導者と比較するため石平『石平の裏読み三国志　英雄たちに学ぶ乱世のリーダーシップ』（ＰＨＰ研究所）を参考にしてみる。

タイムカプセルに乗って三世紀の古代シナの世界へひょいと溯ると、シナ大陸は三国志の乱世だった。魏・呉・蜀が入り乱れての大乱戦、その武闘、暴力、戦争、諜報のかけひきの現場からはるか後世の二一世紀をながめると、どういう風に映るのか？

コロナウイルスが猖獗をきわめているタイミングだからこそ、こうした歴史との比較は有益である。

「乱世というのは秩序と価値崩壊後の混乱期であると同時に、新しい秩序と価値観再建への過渡期でもある。だから乱世の指導者は古い秩序と価値観の破壊者であると同時に、新しい秩序と価値観の再建者あるいは創建者である」

日本には『三国志』ファンが多い。吉川英治の小説もあれば、横山光輝の漫画もある。北方謙三も三国志に挑んだ。いずれも日本人にわかりやすいように翻案されている。司馬遼太郎の『関羽と劉邦』にしても史実からぶっ飛んで日本の浪花節的な価値観の視点から綴っていて、中国人の知識人は「和臭（倭臭）がある」という。日本人が『三国志』と思っているのは、実は小説『三国志演義』のほうで史実とはかけ離れた物語である。

典型例が、不世出の英雄＝曹操が悪人となって邪険に扱われており、優柔不断の劉備は、日本人の好む英雄に美化された。諸葛孔明が天才軍師と描かれている。トランプと曹操は似ており、劉備は日本人的だと石平はいう。

疫病の流行はかならず大乱を惹起することである。

そして乱世にはリーダーシップの質が問われるのは古今東西変わりがない。

「求心力の低下と中央政治の乱れは、各地方政府の独断行為をさらに助長し、全国における地方分裂の趨勢に拍車をかけることになろう。中国はもはや一つの中国ではなくなる」（石平）と予測するのだ。

曹操は言った。「わしが人を裏切ることがあるとしても、他人にわしを裏切らせはしない」。

モラルの欠片のない指導者、「道徳心のない」曹操といまの某国の指導者は似ている。

▼ＧＡＦＡに地殻変動。ダントツの強みはアマゾンだった

ＧＡＦＡの勢いが止まらない？

アメリカの景気を牽引した四大メガ企業はＧＡＦＡ（グーグル、アップル、フェイスブック、アマゾン）だった。コロナ災禍以後、その勢いはどうなったか。

実は「巣ごもり消費」の恩恵を受けてＧＡＦＡ全社は増収だったのだ。

二〇二〇年度第一・四半期（一月～三月）にアマゾンは二六パーセントもの売り上げ増となった。ついでフェイスブックが一八パーセント増、グーグルが一三パーセント、苦境が伝わったアップルも一パーセントと僅かながら増益となった。

いずれも巣ごもりがもたらした逆効果で、出前や商品の配達、通販の急伸による。

しかしスマホの組み立てを中国に委託してきたアップルだけは展望が明るくない。

５Ｇの新型アイフォンの売れ行きは明確に落ちた。米国内でもアップル社員の自宅待機が一万二〇〇〇名。アップルは先代ジョブスの時代、すべて国内生産だった。二代目から過剰なほどに中国依存体制とし、半導体をホンハイ（鴻海精密工業）やサムスンに依存した。チャイ

ナリスクを顧みなかった。

コロナ災禍で中国での生産は致命的に遅れたが、アップルは中国脱出をまだ考えてもいないようだ。期待されたアップル新機種のアイフォンも都市封鎖、店舗休業となって四月から売れ行きが伸び悩んでいる。

フェイスブックはデジタル広告の激減に直面している。しかし中国依存をやめない。そのうえフェイスブックのCEOザッカーバーグ自身のスマホがサウジアラビアでハッカーにやられて情報が盗まれるという失態を演じていた。世界の諜報機関が狙うのは予想されたはずなのにフェイスブックはあまりにも無防備だった。

フェイスブックは「デジタル通貨」のリブラを主導し、トランプ政権と対立した。くわえて欧米の金融界ならびに主力銀行から猛烈な反対に遭い、米議会公聴会でもつるし上げにあったためマスターカード、ヴィザカード、ペイペイなどが相次いで撤退、リブラは頓挫した。

だが、めげないのだ。メンタルタフネスでは中国人と似ている。フェイスブックは新興「Zoom・ヴィデオ・コミュニケーション」に対抗して大人数が参加するテレビ会議など新分野に挑戦を始めた。

グーグルもネット広告が不況入りによって激減した。

そのうえ広告主の法人登記証明、個人広告もIDカード明示など新規制が導入されるので広告が減る傾向になる。

　ましてグーグルは中国で検索機能が、言論弾圧によって機能せず、くわえてプライバシー問題が浮上した。とくにグーグルアースの地図情報に対して個人の住宅まで写真が載っているのはどうか、個人情報との兼ね合いが問題となった。

　司法当局と訴訟の継続が続く。その一方で新分野への挑戦は、ネットによる授業「グーグルクラス」など休校となった学生を相手に教育の新手法を模索している。

　米国のベストセラーのひとつはジョージ・ギルダー『グーグルの後に来る社会』（邦訳は『グーグルの消える日』）ではブロックチェーンがビットコインをいずれ駆逐し、ＧＡＦＡの世界も地殻変動に見舞われるとの予測がなされている。

　となると、ひとり気を吐くのはアマゾンである。

　日本も同様でアマゾンは通信販売の王者。二〇一〇年代から世界のビジネスモデルを変革した原動力となった。

　アマゾンの登場で通販が拡大したため米国高級デパートの「ニーマン・マーカス」や小売り大手の「ＪＣペニー」が倒産したのは前述の通り。日本でも個人ネット授業が普及した。商店街の書店、小規模な町の本屋さんは廃業し、大型書店も苦戦を続けている。

　書籍ばかりか財布も台所、生理用品も、はてはマスクも取り扱い、忙しくて買い物に行けない人々がアマゾンを利用する。

米欧からインドまでロックダウン。日本は巣ごもり、否応なくアマゾン依存となって配達員が不足している。米国のアマゾンはあらたに一七万五〇〇〇名を雇用した。

問題はこれらGAFAがコロナ以後も米国経済を牽引するのか、あるいは新しいビジネスモデルが誕生してくるのか、長期的な視点に立つと次の世界は霧の中である。

▼中国に対して損害賠償を起こせ

中国の死者数を越え、被害が最悪となった米国のトランプ大統領は「中国の発表数字はおかしい」と疑問を投げつけた。

これまで親中路線を歩んだメルケル独首相も「情報の透明性が必要」と中国を諭した。メルケルは側近が感染したために自主的に二週間の隔離状態にあった。ジョンソン英首相は一時危篤状態だった。

人気コメディアンの志村けんの死亡は日本と台湾に衝撃を運んだが、中国は「志村けんの死因は『台湾肺炎』による」とフェイク情報を流した。また「中国に責任はない。米軍が持ち込んだのだ」と中東、アフリカで嘘放送のキャンペーンを張っている。

毎年高度成長を遂げて弾丸列車のように驀進してきた中国経済に急ブレーキがかかった。中国の至る所で失業者があふれ出し、暴動予備軍となっている。中国の雑誌『財新』さえ、失業は二億人と見積もっていることは書いた。

三月予定だった全人代は五月下旬に延期され、四月の国賓としての訪日は流れ、習近平は窮地に追い込まれた。もし五中全会を開催すると、責任問題が噴出し、習近平は詰め腹を切らされるというシナリオが急浮上した。

しかし中国の死者より米国、イタリア、スペイン、フランス、英国、イランの犠牲者数が多くなり、とりわけ欧米先進国は病院崩壊の危機対策に追われて中国バッシングどころではなくなった。

中国共産党がもっとも怖れている次の事態は何か。次の三つである。

一、在米資産凍結
二、党の崩壊（情報公開、政治改革）
三、暴動頻発から民衆の叛乱

それゆえ、これらの矛盾をすり替えるため中国は戦争を始める危険性が高い。

昨秋一一月二七日に、トランプ大統領は「香港人権民主法」に署名した。直後、北京発の米国行き、ファーストクラスが満員状態となった。共産党幹部の秘書や家族が、米国へ飛んで、銀行の隠し口座の移し替え、不動産の売却、債権の売却などを急いだからである。

なぜなら「香港民主人権法」の主要ポイントを読み返すとよい。

(一) 米国務長官が毎年、議会に香港の自治に関する報告書を提出
(二) 香港市民を中国本土に引き渡して拘留し裁判にかける者を特定し、それらの者の米国の資産を凍結し入国を禁止
(三) 香港特区政府が米国の輸出規制を守っているかを米商務省が審査し、年度報告書を提出
(四) 逃亡犯条例の改正と基本法二三条に基づく立法が可決された場合、米国と香港の間の犯罪人引き渡し協定を見直し、香港に対する渡航警告を出す
(五) デモに参加して逮捕された香港市民へのビザ発給を拒否しないことを保証

となっている。就中、(二) の条文である。「香港市民を中国本土に引き渡して拘留し裁判にかける者を特定し、それらの者の米国の資産を凍結し入国を禁止」となると該当者がごろごろといるではないか。

しかも五月の全人代では、最終日に「香港国家安全条例」を採決したため、欧米は烈火のごとくに中国を非難した。

三月から中国への賠償請求の裁判が米国で本格化した。三月一二日、フロリダ州集団訴訟で連邦地裁に提訴し、「中国政府がコロナへの初動を誤った結果、我々は多大な損害を受けた」とした。すぐさま全米で訴訟準備の火がついた。

三月二三日にネバタ州では原告団弁護士が会見し、「全米で百万以上の企業が感染拡大で企業活動を縮小、閉鎖を余儀なくされた。被害は数千億ドル規模になる」と提訴を準備中であることを表明した。

続いてテキサス州の被害団体、企業、個人らが原告団を結成し、「学校封鎖で甚大な損害が出た」として少なくとも二〇兆ドルの賠償を請求するとした。

上院のトム・コットン議員やジョシュ・ホーリー議員、下院のランス・グッデン議員やジム・バンクス議員らも感染拡大を隠蔽した中国当局の高官を処罰し、損害賠償を求める決議案や、最初に告発して犠牲となった医者の名前を冠して「李文亮法案」、「ストップCOVID—19法案」などを提出した。

エジプト、インド、オーストラリア、ブラジル、トルコ、ポーランドなどでも提訴の動きが表面化し、英国『ザ・サン』紙は四月八日付けで、「ＷＨＯへの報告遅れは規則の第七条、八条に違反」。ついては「三五一〇億ポンド（四七兆円）を要求すべきだ」とのコメントが出た。

米国では香港人権民主法によらずとも、かつてロシア、北朝鮮、リビア、イランに適用した「国際非常時経済権限法」（ＩＥＥＰＡ）がある。

その内容は「米国の安全保障や経済に重大な脅威が発生した場合、外国が保有する米国の資産については、その権利の破棄や無効化などができる」というもの。

中国共産党幹部らが顔を引きつらせたわけである。

▼今こそ『脱亜論』

北朝鮮の崩壊が時間の問題とも言われるが、近未来の国際政治で障害となるのが、親北、反日そして反米の韓国に、如何なる対応をとるか、ということだろう。

トランプは率直に在韓米軍の撤退を視野に入れている。日本は福沢諭吉の昔から『脱亜論』を説かれているのに、まごまごしている。

韓国人と日本人との間にある抜きがたい差違、その文化のあまりの違いには慄然となるが、韓国人は活き活きと反日、侮日、憎悪を口にしながら、他方では日本が好きで、日本にせっせと旅行に来る。二重人格であることは多くの日本も気がついていた。

歴史は捏造するに限る、というのが中国と北朝鮮、韓国に共通する。

日本人のように合理的に説明ができて、証拠文献など客観的証明があって歴史がはじめて叙述されるという理性の国とはことなり、中国にとっての歴史は徹頭徹尾、プロパガンダである。韓国にとっての歴史はファンタジーである。両国にとっての歴史認識とは客観的事実などどうでも良いし、そのときどきの支配者のご都合主義が投影される。各王朝の『正史』は史実が疑わしい。『魏志倭人伝』を全面的に信頼している日本の歴史家がまだいるようである。

三〇数年来、筆者は講演のたびに言ってきたことがある。

「中国語には『嘘』という言葉はありません。漢字で『嘘』はありますが、日本とは意味がことなり、『シーッ、お黙り』という意味です。そうでしょ。口が虚ろなのですから。なぜ中国語に『嘘』がないか。答えは簡単です。中国人はみな嘘つきだから、必要がないのです」

爆笑の後、聴衆から必ず質問が飛んでくる。

「『嘘つき』のなかにも天才的な嘘つきがいますね。その人達を表現するときはどうするのですか?」

「詐欺師の『詐』を用いて『詐話』、あるいは詭弁の『詭』を用いて『詭話』と呼ぶことがあります」

それならばミニ中華思想を体現する韓国と中国はお互いが嘘つきだから、滅茶苦茶な創作競争が起こるのである。

タモリが出ていたCMに「ユンケル黄帝液」があった。

陝西省の山奥になぜか「黄帝陵」があって、一〇年以上前、高山正之氏らと見学に行ったことがある。四階建てのコンクリート作り、最初から嘘だと言っているようなものだ。裏山には黄帝が用いた杖とか、黄帝が座った石とか展示してあって、笑い転げた。存在しなかった歴史の捏造に基づき、それをバーチャルからリアルに転換するのだ。こんなことは二重の歴史改竄だが、良心に恥ずかしいという感覚がない。

この発想の延長が南京大虐殺記念館である。なかったことをでっち上げたため、証拠も資料もない。嘘報道を拡げた外国人は米国が派遣した宣教師を仮面とした反日宣伝隊の工作員か、国民党に雇われた自称「ジャーナリスト」だった。この嘘つき達を英雄視して大袈裟に写真を飾り、くわえて関連写真をパネル展示しているが、すべてがインチキ写真であることはすでに証明されている。しかし、客観的事実などどうでもよく中国はプロパガンダ教育として、展示を続ける。日本の抗議など屁でもない。これが中華思想である。

げんに天安門事件はなかったことにして国内教育をしているし、隠そうとした新幹線事故では、車両を穴を掘って埋めようとした。コロナウイルスは米軍が持ち込んだ。第二次感染はロシアからだと嘘放送を百回言えば責任逃れが出来ると思いこんでいる。

宮脇淳子『朝鮮半島をめぐる歴史歪曲の舞台裏』（扶桑社新書）に北朝鮮が檀君神話に基づき、檀君陵をこさえたとするくだりがあって、笑いがこみ上げてきた。日本のテレビが報じた「韓流ドラマ」なるものは時代考証がおざなり、というより歴史的証拠を無視した、始めから終わりまで創作であり、ファンタジーだった。

檀君は歴史上、存在しない。そもそも檀君神話なるでっち上げは一三世紀に創作された、朝鮮人の歴史改竄願望の表れである。だが、驚くなかれ、北朝鮮も韓国も歴史教科書で教えているのだ。こういう国々とまともに付き合う必要はない。福沢は「悪友を絶て」と『脱亜論』に書いたではないか。

▼プーチンも激怒した

ロシアは対策を強化した。

プーチン政権は原油安、ルーブル安、消費不振の三大要素によって「ロシア経済は二年間の構造不況に陥るだろう」と予測しているが、モラルは異常に高く、ロシアの英語メディアに限って言えば、以下のような世論が形成されている。まずロシアは金備蓄を含めての外貨準備が五五一二億ドルあって、コロナ不況の到来にも十分に対応できる。

コロナの感染拡大で、米軍は空母が作戦の遂行が出来なくなり、米国の諸都市は封鎖され、機能が停止した。

これは中国がなした西側への懲罰である。中国の生物兵器によってグローバリゼーションが頓挫した、西側を痲痺させたのである。

ロシアが医療チームを米国に派遣したように、コロナ災禍はヒューマニズムを復活させた。その証しは、海外へ逃亡していたロシアの富豪らが、西側の生活と価値観に飽きてロシアに戻っていること、ロンドンに子供を留学させている富豪がプライベートジェット機を飛ばして帰国させるべく交渉に入ったと例を挙げたが、やや牽強付会だろう。

実際には予算縮小で、医療、福祉関係を大幅に削減したため、現在コロナ対策に奔走している医院などは、医学生が現場に派遣されている。

「ロシアから第二次感染が始まった」

中国はそう言ってロシアとの国境を封鎖しているが、密入国があとを絶たず、国境警備を強化した。

中国の最北端、ロシアと国境を接する黒竜江省は昔の満洲の一部。かなりのインフラは日本が開発し、開拓団と軍人が夥しくいた。ソ連軍が侵攻し、凄まじい略奪と殺戮が展開された地方である。

黒竜江省に残る日本軍要塞を幾つか見に行ったことがある。黒河、孫呉、綏芬河《すいふんが》、ハイラルなど、なんと立派な陣地を日本軍は構築したものと感心した。このあたりの取材記は拙著『風紀紊乱たる中国』（清流出版、絶版）に詳しく写真入りで書いた。

なかにし礼の『赤い月』は北端の黒河でロケを行った。ロシアの行商が集中して入り込むのは東端の綏芬河。西端はハイラルの先にある満洲里《まんしゅうり》（いまは内蒙古自治区に編入された）。合計一七ヵ所に、中露国境があるが、ウスリー川は冬季に凍結するため、氷河上をバスが走る。夏はフェリーである。

綏芬河もハイラルもロシア的な建物が多くエキゾティックである。ロシア女性が陪席するバー、ナイトクラブも盛業中だった。哈爾浜《ハルビン》の目抜き通りはロシア正教会、ロシア料亭、毛皮屋には長身のロシア美人が売り子。それほど地政学的に近いから、庶民の感覚も北京とは異なる。西端の満洲里の郊外に鉄道で結ばれた駅。そして「国門」がある。貨物列車はロシアの原油を摘んで、チチハル、哈爾浜へ運ばれる。国門の記念碑には、中国軍やソ連軍の行った虐殺行為を、すべて日本がやったことにして彫刻が彫られている。ハイラルや哈爾浜の歴史記念館の展示も同じ。哈爾浜駅は伊藤博文が暗殺された所だが、石碑は撤去され、かわりに安重根記念館が作られた。

ともかく。武漢コロナ。旧満洲の北端に飛んできた。哈爾浜のふたつの病院でクラスターが発生し、省都を閉鎖した。感染者、死者の数は不明。中国はロシアに責任を被せているが、実はこれらはロシアに出稼ぎに行っていた中国人労働者の帰国によるものである。

国境を締めたため、密入国してくるのも、出稼ぎ帰りだ。密入国と言っても軍人のアルバイト（とくに中国軍）による斡旋である。

筆者自身、黒河で宿泊していたとき、夜半、部屋にノック。軍人が入ってきて「明日、ロシア観光に行くのなら手引きする。ヴィザは要らない」とパンフレット持参のセールスだった。翌日、孫呉へ向かう予定だったので断ったが、お互いに自由な出入りをしている実態がわかった。したがってロシアから二次感染流入説はプーチンを激怒させているが、真相はブーメラン現象だ。モスクワ・ニュースによれば、プーチンは毎日、検査を受けているそうな。

ロシアでも感染拡大が深刻となって、四月二八日はたった一日で六四一一名が感染し、都市封鎖は継続されるだろう、とプーチン大統領は発言した。

恒例赤の広場の戦捷パレード（五月九日）は中止され、モスクワ、サンクトペテルブルグなどの都市封鎖が続いた。モスクワ市長がプーチン大統領に「深刻な状況」と報告、ガスプロムの労働者らは「我々は豚か」と抗議の労働争議に突入する。

四月二八日にロシアの感染者は九万人を突破し、イラン、中国のそれより多くなった。プーチンは二〇三六年まで権力の座に居座る積もりだった。そのための国会に於ける改憲発議を予定していたが延期となった。或る世論調査に拠ればプーチン支持率は二八・三パーセントしかない（『モスクワニュース英文版』四月二九日）。

かくしてロシアも大変な苦境にたたされた。

▼イスラエルのコロナ対応

イスラエルはコロナ規制をつぎつぎと緩和し始めた。

イスラエルのネタニヤフ首相はコロナ感染拡大を防ぐため、密集や外出規制を命じてきたが、四月一九日、徐々に緩和方向へ向かうとし、エルサレムやテルアビブなどでは商店街が再開、屋台も営業を始めた。コロナ感染阻止をテロ対策マニュアルで対応し、戒厳令下のような規制を採ってきたイスラエルが西側世界で初めて緩和に向かいだしたことは注目される。

なにしろ「全員一致ならやめちまえ」が国是のイスラエル、個人主義の強いユダヤ人は、コロナ災禍対策でも独自的である。辺地にはベドウィン族の村がある。ここでもコロナ検査が行なわれ、一〇〇人の感染が判明した。ところがベドウィンは共同体意識が強いため隔離療養は難しい。

アラブ人地区では感染対策が実施されないことに抗議して五月五日からゼネストへ突入した。テルアビブのラビン広場では教師、デザイナー、芸能人、弁護士などが集まり、休業補償を求めた。幼稚園、保育園は五月一〇日から再開し、ショッピングセンターや市場も制限を義務付けて再開した。スティホームでアルコール消費量が増え、オンライン・ギャンブルが急増した。このため不安やストレスが蓄積され、中毒の危険が高まる。六月に開催予定だった同性愛者パレードは延期と決まった。テルアビブのＬＧＢＴパレードは世界最大規模とされる。

トランプ政権の反ユダヤ主義対応のカー特使は「ユダヤ人がコロナを広げた」とする言動の「津波」が起こっているため注意が必要だとした。中世以来、疫病その他のあらゆる問題の元凶はユダヤ人とされてきたと指摘した。

アラブ世界ではいまも九一一テロはユダヤの陰謀という風説を信じている人が多い。中国がそれに輪をかけて「コロナは米軍が武漢にもちこんできた」と嘘放送を繰り返しているため中東からアフリカにかけて裏付けのない噂が浸透している。

このイスラエルに中国が「戦闘機と戦車を伴わない形で、静かに」浸透している。

政治、経済、とりわけ技術面での多彩な浸透がなされていた。イスラエル駐在米大使ディビッド・フリードマンと国務省の高官らは、イスラエルの中国への異常接近、ならびに過度の依存は国家安全保障上のリスクになると、しばしば警告を発してきた（『エルサレム・ポスト』二〇二〇年五月一九日）。ディビッド・フリードマンは会社更生法が専門の弁護士だが、二〇一六年キャンペーンでトランプ陣営の法律顧問を務め、その保守的な思想傾向を信頼されてイスラエル大使に任命された。過度の依存を減らすべしという米国の警告は「とりわけイスラエルに限ってのことではなく、同盟国のすべての国々を対象としている」とポンペオ国務長官が述べているが、それでもイスラエルは、中国との関係をエスカレートさせていた。ポンペオの電撃エルサレム訪問となった背景である（五月一三日）。

過去一〇年間、イスラエルと中国の貿易は四倍に拡大した。二〇一八年の貿易額は一四〇億ドルを突破した。くわえて数億ドル規模で中国資本がイスラエルに投資しており、AI、衛星、通信技術、サイバーセキュリティなどイスラエルの技術が世界の先端にある分野に集中している。

わけても警戒は米国第六艦隊が寄港するハイファ港の新ターミナルである。中国は一帯一路の関連プロジェクトとして新ターミナルを建設し、運営も始める。世界最大規模の海水淡水化プラント「SOREK1」はテルアビブ郊外一五キロの海岸付近にあるが、第二期工事（SOREK2）に中国系企業が入札している。SOREK1は二〇一三年から運営を開始し、毎日六二万トンを処理している。

米国のランド研究所によれば、中国は二〇一三年から二〇一八年までに一〇億ドルをイスラエルの生物化学関連企業などに投資しているという。まさに中国の究極の狙いはハイテクの入手と頭脳のスカウトにあると言える。

第四章 「失われた二〇年」が自動延長？

WHAT
NEXT

「飼育室には様々な小動物の発散するつよい匂いがただよっていた。その熱い悪臭はコンクリートの床や壁からにじみでて、部屋そのものがくさって故宮をしているような期がした。（中略）朝靄にとざされた薄明の沖からはつぎつぎと消えて行く小動物の悲鳴が聞こえてきた」

開高健『パニック』

▼初動の遅れ、次は「新しい生活様式」

二〇二〇年五月四日に安倍首相は記者会見し、緊急事態宣言の一ヵ月程度の延長と「新しい生活様式」を発表した。

マスク、手洗いとうがいの励行、遊びに行くなら屋内より屋外、会話は横列、ソーシャル・ディタンスなど常識的な日常に加えて「ウイルスの存在を前提として」という文言が挿入された。つまり「ウイルスとの共存」といういやな時代の到来を告げたのだ。

窒息しそうな窮屈さを覚えるが、数学者の藤原正彦氏が「次に起こること」として「自由が規制される時代になる」と『週刊新潮』に書かれていたことを思いだした。

なぜ日本は初動を間違え、ウイルス感染の拡大を自ら招いたのか。

米国が中国からの航空機乗り入れを全面禁止したときも、湖北省をのぞく中国からの旅客は陸続と日本に降り立っていた。旧正月（一月二五日）前後と、感染が拡大していた二月に、およそ九〇万人もの汚染疑惑者が日本にやってきて札幌雪祭りやら箱根の温泉、あちこちの観光地に散った。

このインバウンド業界の中国依存圧力がすべてではないが、政策決定を大きく歪めた。効果的な対策の発動が遅れ、日本でも感染が拡大してしまった。ＳＡＲＳ、ＭＥＲＳの被害がほとんどなかったため、日本の防疫体制に欠陥があった。

日本の政治家は最初から中国に位負けをしており、危機に遭遇してさえも強い圧力に出るという壮士型、党人派政治家は不在となった。中国国家主席と握手できるとなると、いそいそと北京に揉手して記念撮影をしてもらいに行く政治家が百数十名。このさもしい人たちが習近平の国賓来日という屈辱的な外交をむしろ推進したのだ。

野党はマンネリで政権批判以外に何をして良いのかも分からないタワケばかり。安倍長期政権をささえていたのは麻生副総理との鉄壁の絆（だから消費税値上げにずるずると）、菅官房長官の補佐役との徹底。そして安倍チルドレンという忠誠組がスクラムを組んでいたからだった。ところが長期化してモラルは弛緩し、党内はささくれ立ち、政権は末期症状。こんな状況ゆえにウイルス感染措置に鈍い対応しか取れなかった。

「アベノミクス」成功に象徴される首相の鮮やかな決断力と実行力が（あった。けれども）政権が長期化するにしたがって鈍り、側近たちもある者は去り、ある者は力を失い、残った者の緩みと奢りが顕著になっていたのである。

乾正人『官邸コロナ敗戦』（ビジネス社）

安倍政権の中枢を支えた『三本の矢』がバラバラになった。菅義偉・官房長官、今井尚哉・首相補佐官、そして谷内《やち》正太郎・国家安全保障局長の絆が脆くも崩れ、中国問題で谷地が辞表を叩きつけ、今井は二階幹事長の訪中にお目付役でついて行ったが、役目を果たせず、自民党内の趨勢は、中国大好き幹事長が主導、すっかり親中路線となって、安倍首相は「日中新時代」だから「一帯一路に協力する」とアメリカの神経を逆なでする言辞を弄するようになった。

つまり価値観外交（ホンネは中国封じ込めの筈だった）を捨て、中国に擦り寄ってのバランス外交に安倍首相が乗り換えたからだと乾正人氏（産経新聞論説委員長）は前掲書で指摘した。

背後には財界の親中路線の突撃、党内は親中派が圧勝、靖国神社参拝など出来る相談ではなかった。初期の求心力は失われた。安倍を院外でささえた保守系の人たちが一斉に離れた。

最後まで中国の旅客機乗り入れを中止できなかったのは、四月にぶら下がっていた習近平国賓訪日だったのだ。保守陣営は「国賓来日に断固反対」として各地で大規模な集会を開き、安倍政権との間に大きな乖離が生まれていた。

そして東京五輪という重圧が重なり、その間にも中国人の入国が続いていたのである。なんという不手際だろう。

コロナ災禍の元凶は中国だが、日本でもここまで被害を拡大させたのは政治家と官庁、そして財界。中国に甘い報道しかできない大手メディアの責任である。

巻き返しの象徴はアビガンである。

アビガンに関して四月三〇日の参議院予算委員会で、茂木敏充外相が「新型コロナウイルス感染症の治療薬として効果が期待される国産の新型インフルエンザ薬『アビガン』が世界八〇ヵ国近くから提供要請を受けている」と発言した。日本政府は臨床データを得るために希望する国々に無償提供を行った。

未確認情報だが、英国のチャールズ皇太子、ジョンソン首相がアビガンを服用して回復を早めたとか、また米国の新薬はアビガンの真似に近く、基本的には漢方だとする説明もある。いずれも裏付けはとれていない。

米国で新薬レムデシベルが開発され、世界的に治験が始まっており、日本の大学病院でも使用許可となった。

オーストラリア・モナッシュ大学の研究グループは五月三日、既存の寄生虫治療薬「イベルメクチン」を投与したところ、試験管内のウイルスが四八時間以内に増殖しなくなったと発表した。

この「イベルメクチン」は二〇一五年にノーベル生理学・医学賞を受賞した北里大学の大村智特別栄誉教授が発見した新種の菌から開発された抗寄生虫薬で、「ストロメクトール」の商品名で承認されている。

モナッシュ大学生物医学発見研究所（ＢＤＩ）のカイリー・ワグスタッフ博士は「実験は試験管内で行われたものであり、これからヒトに対する臨床試験を行う必要がある」と指摘したうえで、「イベルメクチンはすでに承認された薬でありオーストラリアでは三〇年以上使われている。人体への安全性の確認を急ぎたい」と発言した。イベルメクチンが武漢ウイルスに作用するメカニズムは不明だ。

イベルメクチンは駆虫剤として承認された薬だが、エイズ、デング熱、インフルエンザ、ジカウイルスを含め、広範囲な種類のウイルスにも効果があることが試験管実験で判明した。

またワクチン開発が米国、ドイツ、中国で進んでいるが、負けていないのがイスラエルだ。なぜならサリンなど化学兵器、生物兵器の対策が一番進んでいるため基礎的な新薬開発のインフラがあるからだ。

▼孤独なる群衆

日本は医学の発達、医療保険世界一、福利厚生費も抜きん出ているにもかかわらず、現代医学界から「第二の北里柴三郎」や「第二の野口英世」も輩出できないのは何故なのだろう？

戦後経済を高度成長に導き、ＧＤＰは世界第二位となって、「いずれアメリカを抜く」と予測された、あのエネルギーに満ちあふれていた日本は見る影もない。

田中角栄の『日本列島改造論』は乱暴な議論で官僚の作文だったが、国土開発の土建屋的発想の政策提言により、往時の日本はこの路線を強気に歩んだ。成果の善し悪しではなく日本列島は新幹線と航空機で格段にアクセスが良くなり、利便性という文明の繁栄を享受できた。

輸出王国となって外貨が貯まると、日本人は海外へツアーを組み、「パリでは……」「ニューヨークでは……」などと他愛のない自慢話が流行した。そして不動産投機と株式投機に舞いあがり、銀座も北（大阪）も中州（福岡）もススキノ（札幌）も大繁盛を極めた。ナイトクラブで座るだけで二万円、ボトルを入れると一〇万円という狂気の乱舞も長続きせずバブルははじけた。

株価は四万円直前にまで高騰し、バブルが崩壊すると六千円台にまで沈没した。

以後、列島改造路線は冷たく否定され、日本経済は緊縮財政、公共事業の削減という負のスパイラルに突入し、世界第二位だったＧＤＰは中国に抜かれ、まもなく世界四位に転落するだろう。公共事業への敵視が国力を弱めた。

プライマリー・バランス、財政均衡が財務省主導で進められ、「失われた一〇年」は「失なわれた二〇年」となり、さらに自動延長の気配濃厚となった。

安倍政権の初動「アベノミクス」は確かに産業社会を鼓舞した。日銀の金融緩和は「黒田バズーカ」と呼ばれた。経済産業政策ではなく金利通貨政策が中軸だったため、息が続かず、途中でへし折れた。

景気の再活性化には消費税撤廃、財政の大規模出動が必要だが、政府は横を向いていた。丹羽春喜（元筑波大学教授）の唱えた「打ち出の小槌」論とは、政府紙幣を発行して有効需要をつくりだすと景気は回復するという説だった。米国からＭＭＴ理論として逆輸入され保守系経済論壇を湧かせたが、財務省は見向きもしなかった。

突然のコロナ災禍、財政出動一二〇兆円。これはまるでＭＭＴ理論の実践ではないか。いままでの緊縮財政議論は何だったのか。

ともかく日本人は上を向くより、この二〇年、多くの日本人はずぅーっと下を向いて歩んできたのだ。とくにバブル経済の破綻を煮え湯を飲まされたと、この失敗を教訓としたためＲ＆Ｄ（研究開発費）への投資意欲は稀釈され、新規工場は海外へでむき、いたずらなグローバル推進は、日本語を満足に喋れない、祖国の歴史を知らない若者を生んだ。道徳教育がなされていないから、国際常識さえ分からない。自己を律する基盤がないのである。

当然、消費マインドを萎縮させる。

この文脈から思い起こすのは、名著とされたディビッド・リースマンの『孤独な群衆』（山崎正和氏はこれを「淋しい群衆」と訳した方がよいとしたが）である。

同書を要約すると、社会が機能するにはその成員が担う役割の遂行を促す一方で、個人の性格は社会環境が大きく作用するとし、社会的環境の変化、たとえば人口成長期、過渡的成長、初期的減退の過程において社会的性格は伝統指向型から内部指向型、他人指向型へと変化するという。

慣習とか伝統はかならずしも個々人には共通しない。内部指向型は権威者、或いは保護者の教育によるモラルの刷り込みによって行動規範が出るが、他人指向型では周囲、交際範囲の人々の言動ばかりか、マスメディアを通じて他人の動向を気にする。

このような二律背反的な現象が産業社会の特徴であり、家族関係、友人関係、所属する企業団体など組織との関係が消費にも影響する。個性が強ければミーハー流行型のバッグには見向きもしないだろうし、個性が弱い個人はブームと聞けば、ルイ・ヴィトンに飛びつき、ミズノなどのスポーツシューズを買い換えるように。

コロナ災禍で、右のことが如実にあらわれた。四月八日に発令された「緊急事態宣言」は在宅勤務、レストラン、百貨店などの営業自粛要請であって強制力も罰則もない。にもかかわらず多くは御上の意向に従い、街に人影もなく、レストランはずらり閉店。逆らったパチンコ店もメディアの攻撃に耐えきれず、みなが閉店した。

一方で自宅でなしたことには個人差が明瞭に出た。テレビ漬け、パソコン漬け、スマホによる漫画読書。アウトドア派は、観光に来るなという地方自治体の呼びかけを無視し、キャンプにサーフィン。さすがに飛行機が飛んでいないから、ハワイに行く人はいなかったが。

数学者の藤原正彦氏はリスクはチャンスでもあり、読書文化の復興があるとして、夫人が『新平家物語』一六冊を読んだことを自慢されていたが、読書享受派は極少数だった。漫画のネットの売り上げが急増したというデータがそのことを物語る。なんとも軽薄な、あまりに浮薄な！

▼6G開発で日米が連携へ

だが巻き返しを本気で考える企業人、ビジネスマン、エンジニアが日本にまだ存在する。中国の負債が天文学的であることは周知の事実である。もし中国の国有銀行も企業も巨額のデフォルトとなると、最大最悪の損害を被るのはおそらく日本だという認識をもつ知識人も増えた。

しかし、このまま拱手傍観すれば、衰退は必至である。大東亜戦争の敗北で日本は満洲、台湾、朝鮮の債権をすべて失ったことと性格は異なるが、金額的ロスは同質であり、通貨暴落は避けられない。

米中対立の激化、新冷戦という大変化を目にして、中国がリードしてきた5G技術も突如消滅するか、市場を失う可能性が高まった。中国国内で5Gの契約が五〇〇〇万台だったと報道があったが、謳われた速度もデータ量も基地局が間に合わずに達成されておらず、きわめて不評なことをメディアは伝えない。

さはさりながら、日米両国はドローン、顔識別、5Gスマホ、監視カメラなどで中国に後れを取った。米国も同様な遅滞を演じたが、主因はプライバシー保護という規範である。

個人情報を尊重しない中国の5G開発の狙いは、軍事的覇権と国民監視であり、民生用の開発に力点を置いていない。

ドローンの軍事転用は、すでにペルシャ湾や紅海でタンカー攻撃に使用された。

ウイグル自治区では監視カメラの威力が発揮され、欧米が人道に悖ると批判しても中国は馬耳東風である。

筆者の周囲を見れば、「いま4Gスマホさえ、ろくに使いこなせないのに5Gなんて必要ない」という意見が圧倒的だが、中国は軍事利用のため開発を急いだ。そのうえ5Gスマホが中国で先行発売された。アップルの米国での販売は遅れた上、コロナ災禍で、新しいモノ好きのアメリカ人も購入を躊躇った。

これから日米連合の巻き返しが始まる。

米国は日本と組み、５Ｇの次＝「６Ｇ」開発にいきなり照準を合わせた。

トランプ政権は５Ｇの基地局などで中国に先を越されたと認識し、ならば「その次」を狙いだしたのだ。６Ｇは絶対に中国にわたさない、と。

そのためには次々世代の技術を先に開発し基本特許を抑え込む必要があり、日米の連携が急がれることとなった。

具体的にはＮＴＴとソニー、米インテルが連携し、光で動作する新原理の半導体開発などで協力する。一回の充電で一年持つスマートフォンの実現、とくにＮＴＴは消費電力が百分の一となる光動作半導体の試作に成功している。ＮＴＴは「アイオン」ネットワーク構想を世界標準とする戦略目標を掲げ６Ｇ開発競争で一方の主導権を握ろうとし、同時に五七〇〇ヵ所の自社ビルに蓄電して電力網も構築する。

日本が５Ｇの研究開発と実用化に立ち後れたのは、半導体の基本特許を米クアルコムに、基地局特許をフィンランドのノキア、スウェーデンのエリクソンの先行に任せたからだ。

スパコンでも中国に追い抜かれた日米だが、グーグルは世界最高速のスーパーコンピュータが一万年かかる計算を「量子コンピュータ」が三分二〇秒で解くことに成功したと発表した。

これは画期的な朗報である。「地球から最初に飛び立った宇宙ロケットに匹敵する成果だ」

とピチャイCEOは胸を張った。

「量子コンピュータ」開発に最も力点を注ぎ、カネと人材を投入してきた中国だが、究極の目的とするのは次期軍事技術開発、とくに迅速な暗号解読である。

このため量子力学の研究者を世界中でスカウトし、社会科学院所属の「量子技術研究開発センター」の着工に踏み切った。安徽省合肥市に三七ヘクタールの敷地を確保した。膨大な予算を投じ、最近はAI潜水艦の開発などの専門家を集めた。

米国の先端技術はペンタゴンが主導しており、日米提携といっても軍事分野に踏み込めない日本としては提携に限界があることも自明の理ではある。

さはさりながら、「アベノミクス」はいつしか「アベノマスク」と呼ばれるようになって、日本はまだまだもたついている。

緊急経済対策、未曽有の一〇八兆円は中味が問題だった。「一〇八兆円」の緊急経済対策の規模は、実にGDPの二〇パーセントである。株価は撥ねると思いきや、市場はたいした反応を示さなかった。

そこで細部を調べると、真水は補正予算の一六兆七〇〇〇億円程度しかない。ならば一〇八兆円のからくりはと言えば二六兆円が税、保険料の支払い猶予（これも統計に入れるの？）。これに昨年の「総合景気対策」予算と二月の緊急対応と、今回の二九兆円余を足したものである。後者の合計のうちの財政投融資が一二兆五〇〇〇億円だ。真水に期待するには難があった。

▼非常事態宣言は日本国憲法になかった

空疎なる平和の念仏と現実との落差が露呈した。

戦後の占領が解けてもアメリカが残していった日本人の洗脳工作の残滓が現代政治を徹底的に歪め、国家存亡の危機が目の前に来ても政府は戒厳令も敷けないし、「国家非常事態宣言」も出せない。占領憲法が禁止しているからだ。つまり日本の独立、主権が皮肉にも現行憲法の存在によって阻害されているのである。

改憲を本気で議論しない日本の現状は「思考停止」であると西部邁『わが憲法改正案』（ビジネス社）は指摘し、同書のなかで改憲案も示しながら、「日本国憲法は国民にとっての根本規範であるよりも、規範を失って漂流しつつある民衆の自己正当化の口実となりつつある」と批判した。

二〇二〇年四月七日、コロナ災禍の感染拡大を前に安倍首相が発動した「緊急事態宣言」に関して西部の論考を比較しつつ検証し直してみた。つまり現行憲法には戒厳令規定がない。したがって国家非常事態の規定もなく、このたびの段取りは「コロナ特措法」を根拠に「緊急事態」の宣言となる経緯をたどった。「非常事態」ではないことに、大いに留意すべきである。憲法に「国家非常時事態」の規定がない以上、曖昧な「緊急事態宣言」となり、法的な強制力がないのである。

具体的に現行憲法には「緊急」という用語が出てくるのは一ヵ所だけ。憲法第五四条第二項の後半と第三項に、こうある。

「内閣は、国に緊急の必要があるときは、参議院の緊急集会を求めることができる。前項但し書きの緊急集会において採られた措置は、臨時のものであって、次の国会開催の後一〇日以内に、衆議院の同意がない場合には、その効力を失う」

ここでいう「緊急」とは衆議院の解散中に論ずるべき課題に対しての臨時措置を意味しているだけ、お粗末極まりない「法」なのである。まさに西部氏の口癖だったように「こんな憲法、踏みにじれ」。

西部氏は次の指摘を残した。

「日本国憲法は緊急事態の発生を予想していない。したがって、とりわけ『戦争と平和』という国際関係における危機の問題に直面したとき、いわゆる『解釈改憲』によって日本国憲法の枠組みの外に暗黙の形で踏み出す以外に方法がなかった。その挙げ句、たとえば自衛隊や日米安保条約の存在について、それらは違憲合法のものであるとみなそうという噴うしかない解釈が」、歪曲的に憲法学者によって発明されたのだ。

もし普通の国家なら、いや戦前までの日本なら、危機に際しても適切な対応がとれた。

近年の例をひとつあげる。

二〇〇七年九月、イスラエルを飛びたった八機のジェット戦闘機は、シリアの砂漠の奥地、アルキバール原子炉を空爆し破壊した。

一九八一年にイラクのオシラク原子炉を、イスラエル空軍が破壊した「実績」はあるが、シリアが北朝鮮の援助で秘かに原子炉を作っていた事実にはノーマークだった。

イスラエルの情報機関が事前に掴んでいたのはパキスタンのカーン博士の動きだった。

一九九〇年代初めに北朝鮮やイラン、リビアに核開発技術の設計図を提供したパキスタンの核科学者カーン博士は世界的に悪名高いが、アサド（シリアの前大統領。現在のアサドはその息子）にも話を持ちかけた。しかし、アサドが拒否したとの報告がイスラエルの情報機関にもたらされた。

イスラエルの情報機関はカーン博士の過去の旅行先を調べ上げた。先代のアサド大統領は何度も平壌を訪問し金日成と親しい関係だったことを過去のファイルは告げていた。証拠写真があがってきた。北朝鮮の支援で、原子炉がひそかに、ユーフラテス川が流れる砂漠の奥地に建設されていた。

事実が判明したのはイスラエルの情報機関の工作によるもので写真を当該のエンジニアのパソコンに忍び込んで抜き取ったのである。

オシラク原子炉を破壊したときの首相はベギンだった。「ユダヤ国家の存亡に関わる兵器を敵が取得しようとするとき、イスラエルは行動に出る。先制攻撃が可能であれば、先制攻撃が望ましい」と一九八一年にベギンは結論を出した。この考え方は、「ベギン・ドクトリン」と呼ばれる。

「これは脅威のバランスの関する疑問ではない。国家の存亡に関わる重大な問題である。したがってイスラエルはこのような脅威を初期の段階で積み取る」（アリエル・シャロン元首相）。

ただしシリア原子炉爆破計画の秘密は、アメリカと事前に相談する必要があった。なぜなら一九八一年のイラク・オシラク原子炉攻撃破壊作戦は、事前にアメリカに知らせていなかったからアメリカの強い反発を買った。それが原因で一時期イスラエルと米国関係は冷えたのだ。

秘密特使がブッシュ・ジュニア政権の幹部が陣取るワシントンに派遣された。

燃料が注入される直前、ぎりぎりのタイミングでイスラエル空軍機が原子炉を破壊した。だが克明な事実経過は伏せられてきた。攻撃をイスラエルは認めないで、空とぼけ。なんと空爆から一〇年間、だまっていた。

またシリアのアサドのほうも「そんな話は聞いていない」と空とぼけていた。全貌を知っていたアメリカは、当時、ブッシュ政権だったが、まるで知らないことにしてきた。

ヤーコブ・カッツ著、茂木作太郎訳『シリア原子炉を破壊せよ』（並木書房）がこれらの事実を活写している。

作戦を立案し、準備したのは独立戦争以来の諜報に従事してきた歴戦の勇者たちで、最終的に実行を命じたのはオルメルト首相だった。強気の印象が薄い、イスラエル政治家でも珍しい目立たない政治家だった。オルメルトは派手なパフォーマンスや風呂敷演説をするネタニヤフ首相とは対照的である。それゆえに作戦の秘密は保たれた

空爆のジェット機は地中海からシリアとトルコの国境線を低空で飛翔してレーダー網から逃れ、そのために入念な訓練を続けていた。シリアはアサド大統領と、その側近以外の誰も、シリア軍の高官さえ砂漠の奥地で原子炉を建設していることを知らなかった。空爆後もイスラエルの破壊作戦は政府幹部にもシリア国民も知らされず、だからアサドのメンツは保たれた。

日本はこのイスラエルがとった先制的攻撃という軍事行動から何を教訓とするべきか？

日本の生存を脅かす脅威が中国と北朝鮮の核兵器である。もはや先制攻撃は間に合わない。

ならば何をしなければならないのか、アメリカの核の傘を信じて安住して来られた時代は去った。導かれる結論は改憲によって防衛力の拡充しかない。

経済的には防衛産業の国産化と大規模な梃子入れである。本気で景気回復を望むのなら、必然的に出てくるシナリオである。

▼韓国の危機、アジア通貨危機二・〇

日本は外交姿勢を根本的に改める必要があり、まだコロナを奇貨とすれば、まさにチャンスの到来なのである。

全体主義の独裁体制に王朝の正統性を見出し、北朝鮮に憧れを持つ面妖な大統領が率いる反日国家・韓国と日本はいつまで付き合うつもりなのだろう？　戦後日本は一度として毅然として立ち向かう外交姿勢を取れなかったため、分かりやすい表現で言えばなめられ続けた。

韓国人と日本人との間にある抜きがたい差違、その文化のあまりの違いには慄然となる。韓国人は活き活きと反日、侮日、憎悪を口にしつつも他方では日本が好きで、日本にせっせと旅行に来る。二重人格であることは多くの日本人も気がついていた。半世紀から四半世紀前まで筆者は韓国へ頻繁に渡航した。仕事の関係で一泊という旅も屢々あった。七〇年代後半、まだ朴

正煕政権の頃だが、韓国の閣僚のほとんどが流暢な日本語を喋り、実によく日本のことを知っていた。首相は金鐘泌で、ときの閣僚はほぼ全員が完璧な日本語を喋った。藤島泰輔氏と一緒だった時は歓待を受けた。

一九八七年にも、所謂「パルパル五輪」前だったので、取材や国際会議で、ソウルに数度行く機会があった。まるで親日的な雰囲気があった。全斗煥と盧泰愚大統領のふたりは大事な話となると日本語でしていた。金大中は日本亡命組だし、李明博は日本に暮らしていた。日本語の喋れない大統領は盧武鉉、朴権恵大統領からである。

そうだ、あの頃の韓国は日本に憧れをもつ人が多かったのだ。

四月に亡くなった李《イ》度《ド》珩《ヒュン》氏は知日派の紳士で、韓国版『諸君』のような保守の雑誌（『韓国論壇』）を主宰され、氏が呼びかけたシンポジウムでは高坂正尭氏と筆者が講師だった。つづく祝賀パーティには金大中、金泳三、「現代」の創業者の鄭周永の三人が揃ったほどの盛況だった。当時、この三人が大統領選挙を競っていた。保守系の一雑誌のパーティに三人が顔を揃えるというのは、どれほどの影響力を韓国の保守系メディアが持っていたか、おわかり頂けるかも知れない。

一九八〇年代後半だった。ソウルで世界ジャーナリスト会議が開催され、日本からは竹村健一、日高義樹氏らと筆者などが招かれた。米国からはレーガン政権のブレーンが目立った。つまり反米ではなく親米ムードだった。もちろん韓国からは学者、ジャーナリストが多数参加しており会場は日韓米友好で和気藹々としていた。いったい、あの時代の雰囲気はどこへ消えてしまったのか。

そうだ、あのころの韓国の言論人において、「愛国」とは「反共」だったのだ。それがいま韓国の愛国は「反日」、北朝鮮という全体主義の悪口を言わなくなった。とくに文在寅という親北大統領の出現以来、日韓関係はかつてない冷凍時代となった。しかも四月の総選挙で文在寅の与党が勝利したのだ。驚くべき韓国人の意識の変化ではないか。

▼香港の若者達の呻吟を聞け

日本は香港の動向にほとんど注意を払わなくなった。

二〇一九年の香港大乱も欧米に比べると日本のメディアの報道はどこか生ぬるく北京への遠慮がみられた。

香港は表現の自由を束縛され、全体主義の中国共産党の支配に屈しようとした時に、自由を求める若者らが立ち上がった。

香港大乱の時期、筆者は三回香港に取材に出かけた。その報告は『チャイナチ』（徳間書店）

にまとめたのでここでは繰り返さない。

コロナ以後、香港に乗り入れている航空機が九九パーセントの休便となった。ほぼ全滅である。

免税天国として買い物客に溢れた香港の繁華街に外国人観光客が不在、有名ブランド店舗は閉鎖。世界全体の三月だけの損失は航空業界だけで、五六億ドルに達した。

香港では到着客に厳重に検査が行われ、体温測定とか、医療検査ばかりか、スマホの消毒検査にくわえて、スマホの中味をチェックし、過去数日間の滞在先を記録する。このため検査能力は一日四〇〇人（通常、香港国際空港は一日二〇万人が利用した）。

「サプライチェーンの寸断は、金融チェーンの寸断である」と香港の金融界が悲鳴を挙げた。三月に世界の投資家が香港市場から五五〇億ドルを引き揚げたからだ。

「一九九七年から九八年のアジア通貨危機の再来であり、『アジア通貨危機二・〇』だ。そして前回の規模を遙かに超える規模になるだろう」と専門家は分析した。

香港の債権市場で起債するのはおもに中国企業である。三月までの中国企業の倒産は四六万社だったことは前述した。この香港に対して中国は「香港国家安全条例」制定を準備するなどと露骨な介入姿勢を示し、これに対して英国、カナダ、オーストラリの外相は連名で反対の立場を明確にした。

EU議会も「香港基本法を遵守すべき」と批判し、米国は「制裁の対象になる」と発言して、中国の暴走を警戒した。とくにポンペオ国務長官は、香港国家安全条例などは「横暴かつ破滅的」で、「香港が保障された高度な自治の終焉の前兆だ」と強く非難した。

クリス・パッテン前総督は「中国は香港を裏切った。西側はこの中国の無謀を冷笑しているだけでは済まされない」と語った。パッテンは香港返還直前まで香港総督を務めた。

中国の言い分は「一九八四年の英中合意を無視し、香港基本法に謳われた二〇四七年までの香港の高度の自治の保障、言論の自由を踏みにじるもの」と英国は批判のオクターブを挙げており、米国の「香港人権民主法」と同一の基軸を歩んでいる。

中国は「香港国家安全条例は、テロリスト、国家転覆を企む人士の取り締まりだ」と強弁を繰り返した。

中国の債務は対GDP比で一九九七年は七・八パーセントだった。二〇一九年末に五四・三パーセントとなっていた。あくまでも表向きの数字で、シャドーバンキングや私募債などを含めると二三〇パーセント以上と推定されている。

アジア全体の不良債権は六〇〇〇億ドルになる懼れがあるとS&P（スタンダード・プア社）は予測報告を出した（四月六日）。

具体的には四月一五日に期限のきたHNA（海航集団）の社債だ。償還額一億六三〇〇万ドルの支払いが出来ず、テレビ電話で債権者会議を開き、支払いの延長を求めた。

中国はオンショア市場で五七九億ドル、オフショアで三四九億ドルの起債をおこなっているが、これらの償還期日が向こう一二ヵ月にやってくる。ほかに不動産における天文学的負債が、いずれ不良債権の巨波に化ける。どうやって支払うのか？

ところが中国共産党は、そういう懸念を払いのけて、またまた無理矢理の景気刺激、こんどは地方特別債を発行するという。

時速一〇〇キロ制限の高速道路を一四〇キロくらいならまだスピート違反の範疇だが、二〇〇キロで突っ走る。道路が凹凸だったり、急カーブだったら衝突事故が起こるだろう。路肩を破損して地上に墜落することもあるだろう。

すでに屍累々《しかばね》である。実際に幽霊都市が中国のあちこちに出現した。新幹線は砂漠や曠野を走り、奥地の飛行場は半年凍結して使えなくても、月一便でも構わない。維持費や、人件費、老朽化する設備の保全はどうするのか。没有問題《もんだいありません》というのが常套の回答だ。「親方、五星紅旗」だもの。そんな風に中国の役人は考えるほかはないのである。上がこうやれといえば、いちはやくノルマを達成し、成績を上げたことにして出世街道を駆け上る。コロナ感染で、上が「感染者を出すな」と命じたため、以後、どこにも感染者は激減した。死者はほとんど増えないという不可思議な現象が起こるのも、感染者をださないことにして、医者に「死亡診断は別の病名に」、感染者は「どこかに移していないことにせよ」となった。

一〇〇万を越える都市が、中国には二二〇ある。全部がそうでもないが、地方債を発行する。地方政府は裏書きをせずに、「融資平台」を設立し、国有銀行から借金して、いよいよ償還期を迎えたが、ビルは林立してもテナントは集まらず、タワーマンションに入居者はおらず、ショッピングモールは幽霊屋敷、狐、狸、狢、そして鼠にコウモリの住み家。当て込んだ税収はもちろんなく、地方政府の歳入は、支出の数分の一しかない。返済不能状況が明らかとなった。目玉入りだったエコシティとかの都心つくりも無惨に失敗した。胡錦涛の目玉だった天津浜海地区は大爆破事故のあと廃墟に。そして習近平の目玉は雄安新都市つくり。いずれ失敗するだろう。

すでに地方債は六五兆円を使い果たし、また新たに四五兆円。「誰が責任をとるか」って、そんなのは愚問、上が決めたことはノルマだからね。

二〇二〇年四月の地方政府の借り入れは前月比二六パーセント減の二八六七億元だった。インフラ構築のプロジェクトとして新たに一兆元（一五兆円）の地方政府特別債が準備されている。ちょっと待った。過去五ヵ月間（二〇二〇年一月―五月）で、すでに三兆元（四五兆円）がばらまかれた。前年同期は一・九兆元だった。二〇一九年度に発行された地方債は四・三六兆元（六五兆円強）だった。ちなみに二〇〇八年リーマンショックで、中国は四兆元（当時のレートで五七兆円）をばらまいた。その規模を越えているのだ。

過去の累積が本当は幾らなのか。詳細なデータはないが、中国は財政部債券も特別に発行する。インフラ建設という目的を各地方政府が無理矢理消化するために、水の来ない砂漠に都市をつくり、熊しか出没しない曠野に新幹線を敷設することが繰り返される。

日本はこれら中国債券の巨額債権者であることをお忘れなく！


一方で不気味に上昇するゴールド、不気味に低迷する原油価格。

金はドル建てで、トロイオンスが標準だが、二〇一一年九月に一九二〇ドル三〇セントという天井をつけた後、五年間も下落を続けた。底値は二〇一六年一二月で一〇四六ドル六〇セントだった。以後、横ばいが三年、二〇一九年から静かに、しかし急激に上昇し始めて、二〇二〇年三月に一七六二ドル五五セントをつけた。

金価格が上昇する理由は、戦争が近いか、大不況の到来であり、猛烈インフレに備えることである。

対照的に工業のメルクマールとなる指標は基礎素材としての銅価格である。銅価格市況は二〇一七年と二〇一八年に三・三二ドルの天井をつけたが、その後、緩慢に下落しはじめた。産業のピークが終わっていたのだ。コロナ大流行に併行して崩落を始め、一・九七ドルとなった（二〇二〇年三月一六日）。工業、製造業に需要がないという意味は景気が相当程度に悪化している証拠である。

原油市況の指数はＷＴＩが標準値だ。二〇一一年に一バーレルあたり一一四ドルが天井。ベネズエラもロシアもサウジアラビアも沸きに沸いた。ベネズエラは一バーレルが百ドルを前提に予算を組んで強気の投資、周辺国援助をおこない、原油暴落以後、突如破産した。

原油価格は二〇一六年にいちどドスンと下がって一バーレル＝二六ドル五〇セント、以後四年間はＵをひっくり返したようなカーブを描いていたが、コロナで再度、下落して三月に二〇ドルを割り込んだ。

ロシアとサウジが一〇〇〇バーレルの減産に合意したと伝えられているが、市場に目立った動きはなかった。

日本経済にとっては原油価格は安い方が良いが、バブル時代に比べると消費量は激減しており、同時にクルマの燃費効率が格段にあがっているため、メリットを享受できる。

▼アジア全域にアンチチャイナの風

一九七〇年代から九〇年代まで、アジアでは日本批判が盛んだった。タイでインドネシアで反日暴動が発生したこともあった。一九七四年のバンコクの日貨排斥という学生運動は背後に華僑がいた。

筆者は当時もバンコクへ二回取材にいって学生運動の指導者にインタビューしたが、彼らは華僑の子弟だった。名前がタイ風なので、実際に面談するまではわからない。

一九九〇年代後半からアジアで反日の空気はなくなり、かわって現地で拡がったのは反中運動だった。ASEAN諸国から南半球のニュージーランド、オーストラリアにまで反中感情が拡がっていた。

ラッド政権時代、オーストラリアは国を挙げて親中路線だった。なにしろ鉱山投資はチャイナマネー、鉄鉱石はばんばん買ってくれる。おまけに外交官あがりのラッド首相は中国語が堪能で、北京に足繁く通った。

ケビン・ラッドは駐北京オーストラリア大使館の一等書記官の経験があり、二〇〇七年一二月から二年半、二〇一三年に僅か三ヵ月と、二回政権を担当した。「陸克文」という漢字を自分の名前に冠している。

シドニーは人口四五〇万の大都市だが、中国人がいつのまにか五〇万人、中国語の日刊新聞が三、四種類出ていてページ数も多い。しかもカラー印刷なのだ。商店やショッピングモールの看板も中国語、街を歩いている人々の会話もマンダリン、ビジネス街へ行かないとカンガルー誂りの英語が聞かれないとまで比喩された。

二〇一八年の豪政府統計局の調査で中国人の人口が一二〇万（全体は二五〇〇万だから、五パーセント強にあたる）、その後も増え続け、現時点で一三〇万人を越えていると推定されている。メルボルンもキャンベラも、大きなチャイナタウンが開けており、中国大使館の前には法輪功のテントが張ってある。

オーストラリアの空気が変わったのは鉱山企業大手ＢＨＰに、中国が買収を仕掛けたときからだ。日本で言えば国家の基幹産業である日本製鉄に買収をかけるようなものだから、国家安全保障の観点からも、強い反対の声があがり、結局、英国系とファンドが買収し、チャイナマネーを蹴飛ばした。

モリソン現政権は中国に厳しく、米国の路線と協力し、南太平洋の島嶼国家への中国の浸透に対抗、経済援助を強化する方向を明確化した。パプアニューギニアで開催された二〇一八年のＡＰＥＣで豪政府は軍隊を派遣して警備にあたり、中国が画策していた海底ケーブルのプロジェクトも、入札から中国を外し、にらみ合いが続いてきた。

同じ大英連邦としての同盟国、ニュージーランドは、オーストラリアとは異なって反中国の態度は曖昧、ファーウェイを排除していない。女性のアーダン首相はリベラル左派で豪米などの強硬路線とはやや距離を置く。

オーストラリアもニュージーランドも、日本はかなりの力を入れた外交を展開してきたが、チャイナの巨波を前にすれば日本の存在はまるで目立たない。

もっとも深刻な反中感情が渦巻くのはインドネシアである。

西スマトラのブキティンギ地方にあるノボテル（一流ホテル）にデモ隊が押しかけ、「中国人ツーリストは帰れ」と叫んだ。地方都市にまで反中感情が拡大し、政府は反中暴動の勃発を怖れて警告を発している。

インドネシア政府は中国系住民に対してコロナ検査を実施している。インドネシアは先年まで華僑系には公務員資格を与えず、華僑の子弟の大学入学を拒否し、土地の買収を禁止し、中国語の使用も規制してきた。

基本的にインドネシア経済の金融と物流を華僑が抑えていることへの反感が強く、ながらく華僑は現地に同化し、インドネシア風の名前に改め、極力、中国語を使わず、したがってジャカルタのチャイナタウンへ行かないと中国語の看板は見つけられない。

フィリピンはスカボロー礁を中国軍に不法占拠され、国際裁判所は中国の主張に一片の裏付けもないとしたところ「あれは紙くず」と言ってのけたため、急激に反中感情が沸騰した。ところがドゥテルテ大統領が登場するや、一八〇度姿勢を変えて中国になびき、領土問題は棚上げ。「だって中国と戦争したら我々は負けるじゃないか。軍備もないのに」と開き直った。

この弱腰のフィリピンもコロナ感染以後、まず出稼ぎのアマさんたちが職場へ戻れない。逆に中国や香港から帰れない。レイオフされても帰国できず、海外で稼ぎのドル送金で支えられてきたフィリピン経済にがつんと一撃となった。見渡せば、銀行、流通、小売りが華僑の手にあり、マニラのチャイナタウンには巨大モール、マニラ湾沿いの高級住宅地に建つタワーマンションは中国人がキャッシュで買う。

他方、フィリピンの現地人は路地裏の貧困地区に密集して住み、ここにコロナウイルス感染がひろがった。中国からの新移民たちの傍若無人、カネにあかせての振る舞いに不満は潜在していたのだ。マニラのアダムソン大学では「中国人留学生は授業に出ないように」と忠告を受ける。それほどに「コロナ以前」に反中感情が猖獗していた。

決定打はマカティ（マニラの丸の内）である。

フィリピン最大のビジネスセンター新都心は大成功した華僑が建てた。このマカティにカジノが認可されるや、おそらく三〇万人以上の中国人が大量に進出し、マフィアが大量の売春婦を引き連れて入り込み、誘拐、拉致、詐欺、殺人など治安が乱れ、これまでの美観が損なわれた。

かくして東南アジア一帯に普遍的となったアンチ・チャイナの風。社会的な基盤にある反中感情は、富への怨念が基底にある。富裕層を敵視するのは現地の貧困世帯や農民、労働者階級である。のんびりした南洋の現地人は働くことを嫌うが、移民してくる中国人はせっせと働き、こつこつ金を貯める。それを高利で貸し、いつの間にかひさしを借りて母屋を乗っ取るやりかただから「アジアのユダヤ人」と呼ばれた。

この差別の原因はむしろヨーロッパ人が種を撒いたとも言える。自らがユダヤ人を閉じこめ、差別し、虐殺を繰り返してきた過去の体験的本能が作用している。

一五九六年にオランダ艦隊がジャカルタに入ったとき、中国人が多数いた。

オランダ人の船長らは「かれらはアジアのユダヤ人。こすっからく、騙すことが得意で、不正を働く」と書き残した。

一六〇二年にジャワ島を訪れた英国人は「ここにも中国人がいて貿易に従事しているが、インチキ、騙しが得意で、あたかもジャワのユダヤ人のごとし」と書いた。

一七二三年にフランスはインドシナ半島の植民地支配に乗り出すが、やはりどの地方でも華僑が存在し、インチキをこのみ、金儲けが狡猾だとの印象を報告している。

こうしてヨーロッパの植民地主義者らが構築した「アジアのユダヤ人」という解釈、その差別の感覚は、そもそも欧州に於けるユダヤ人差別と偏見が共通している。同様な歴史観・民族差別をもって欧州人はアジアを裁断したが、その影響力は大きかった。

一九一四年にタイ国王は冊子を発行し「アジアに拡がるユダヤ人＝シナ人は道徳の欠片もなく慈悲心もない」と断定した。

植民地経営のヨーロッパ人は、この反中感情の政治的利用をおもいついた。だからタチが悪いのである。

つまり直接的な搾取を回避し、中間にシナ人を税金の取り立てやアヘンの流通などで駆使し、現地人の不満を、「かれら」に巧妙に仕向けることだった。

英国はインドで、フランスはベトナムで、オランダはインドネシアで、この方法で植民地からの搾取を円滑化した。

大戦後もこの偏見は持続し、経済危機が訪れると必ず華僑が不満爆発の対象となる。アジア通貨危機では一九九八年にインドネシアで反中暴動が起こり、華僑の商店が焼き討ちされ、数百人が殺された。

最近もベトナムで反中暴動が突発した。

抑圧され偏見に満ちた差別に対抗して、華僑は何を学んだか。かれらは政治に発言力を求めて当該国家の政治指導者へ食い込みを始めたのだ。

フィリピンのコラソン・アキノ元大統領、タイのタクシン兄妹、インドネシア・ジャカルタ特別州のバスキ・プルナマ知事などが有名だが、マレーシアでも多くの市町村で華僑が政界に進出し、小売り、物流から金融業界を越えて、メディアを握り、政治の支配も狙いだしたのである。

日本はいずれアジアの政治においても、中国に後れを取ったことに気がつくだろう。

WHAT NEXT

第五章　全体主義、末法思想と「ええじゃないか」

「この災禍が初めて史上にあらわれたのはすなわち神の敵を打ち砕くためでありました。ファラオは永遠者の御心に逆らっておりましたが、そのときペストが彼を跪かせたのであります。すべての歴史が始まって以来、神の災禍は心おごれる者どもと盲いたる者どもをその足下に跪かせたのであります」

カミュ『ペスト』

▼全体主義が頭をもたげている

この章で議論したいことは三つある。

まずは、コロナ災禍の対応におけるリーダーシップの在り方をめぐる議論のなかで、フイと頭をもたげた全体主義に関する批判。ついで、世も末という絶望がもたらす異形な行動に関して。もうひとつはコロナ不況への陥没から恐慌の不安がつのり、戦争が始まる可能性についてである。

全体主義を最初に俎上に乗せる。日本では全体主義に対して、かつての恐怖を忘れてしまったのか、一種憧れのような議論が一部に噴出し始めた。

ジョージ・オーウェルが予言的に書いた小説『一九八四年』で描写したのは管理される人間のロボット劇場の不幸であり、映画『猿の惑星』が比喩した独裁権力の無慈悲、非人間性であるはずなのに、いまごろ全体主義議論が再武装して論壇に出てくるとは夢にも見なかった。

理由はコロナ対策で後手後手に回った日本政府批判と重なる。なにしろ欧米とは異なって、日本のメディアは中国を批判せず安倍政権を批判するのだから、背後に全体主義的な左翼言論人たちの硬直した押しつけがましい議論が、すぐには見えない形で指令している可能性がある。テレビの洗脳をサブリミナル効果で諄々と繰り返す、あの手法だ。

欧米並びに中露が採用した都市封鎖、非常事態宣言など一連の施策と実行には、独裁的権力行使が必要である。

現代の民主主義社会では「主権独裁」とも言い換えられており、非常事態時には独自の判断もゆるされる。法律、もしくは憲法でそのことが保障されている。

ところが日本では憲法に書かれていない。だから危機に際して国民を率いるリーダーに全権を委ねるのがよいとする考え方が、ふと顔をのぞかせるのだ。軽佻浮薄な風潮が日本社会の基盤にあるからだろう。

独裁的決定を次々と発動できる指導者は、危機の時点において必要ではある。そうしなければ危機に対する即応能力が発揮できず、各部署がてんでバラバラの行動をとりがちとなる。

これは日本の政治と中国との比較で鮮明になる。

習近平の独裁が武漢を封鎖し、情報を隠蔽し、交通を遮断し、プロパガンダを独占し、北京など主要都市への流入を防ぎ、外交との航空路を絶った。そして工業の墜落、産業の衰退をみると、こんどは一転して「コロナは制圧した。武漢は安全になった。生産現場にもどれ。世界は中国に見習え。共産党は正しいのだ」と獅子吼できる。独裁であるがゆえに、効率的政策をタイミング良く発動できた。だから全体主義にもメリットがあるではないかという観点に立つ視野狭窄の議論がはびこることになる。

歴史を紐解けば、ローマ時代には時限付きで独裁権をふるう執政官というシステムがあった。紀元前六世紀から一世紀まで続き、その独裁執政官を「選挙」でふたり選び、一人は内政担当、もう一人は危機管理、戦争では指揮官を演じ、任期は一年だった。

日本ではコロナ危機に際して、危機に対応できる独裁権力が不在であり、安倍政権は司令塔の役割を果たせなかった。中央銀行と各省庁との整合的な政策の統一はなく、かたやマスクを国民に配り一律一〇万円を支給し、こなた備蓄していた保護服を一〇数万着、中国へ寄付するという売国行為。緊急事態宣言に際しても都道府県知事らは、統一的施策を拒んだ。いや民間企業にしても、協力しないでパチンコ店営業を続けた豪の者もいたが、強制的閉鎖を命じることが出来なかった。現行憲法に「非常事態」の規定がないからだ。

日本ではいまだかって独裁者が歴史に登場したことはない。

日本を統一した徳川家康以後の政治は合議制だった。だから幕末の幕閣は危機が目の前にきても何事も決められず、専断政治をおこなおうとした阿部正弘は失脚し、井伊直弼は暗殺された。

やや独裁的権力行使が出来たのは西郷隆盛が生きていた頃の廃藩置県くらいで、伊藤博文の時代ともなると政党乱立、侃々諤々の壮士らが政党政治を担った。戦前の東條内閣が独裁？新聞は毎日、東條を批判していたし、東條は異見もちゃんと尊重した。

独裁をふるったのはＧＨＱのマッカーサーだけだろう。終戦から主権回復までの七年間、ＧＨＱは日本の独裁者だった。

しかし近代政治学ではカール・シュミットが「例外事態、危機的状況において、初めて事態の本質がよりよく顕現する……。戦争などの例外状態においては、国家が既存の法体系や慣行ルールを徹底的に破壊してしまう」という意味のことを書いた。

シュミットは共産主義、国家社会主義を批判したにもかかわらず、「ヒットラーの協力者」という烙印を押された。だがニュールンベルグ裁判では不起訴となった。米国のネオコンに影響を与えた。

ハンナ・アーレントはハイデッガー、ヤスパースという政治哲学の二大巨人の薫陶を受けて哲学を目指したユダヤ人女性だ。ゆえに身を以て体験したナチの迫害、その全体主義の恐怖から恐怖のシステムの歴史を解析した。「ナチはわたしたちより人間的」とアーレントは比喩した。

ワイマール憲法下もっとも民主的なシステムだった共和国ドイツで、恐慌を境に正反対のナチズムが生まれた。人々が興奮してヒトラーの独裁を希求したからだった。なぜなら共和制度の複数政党乱立、つまり「民主主義は衆愚政治」（プラトン）であり、ソクラテスは陶片追放、衆議の決議によって毒杯を呑んだ。

当時のドイツの失業は三〇パーセントをこえ、軍需産業を興す物理的要求があった。米国の大不況の影響がなければ、ワイマール共和国は存続していたかも知れないのである。

イタリアのファシズムは、戦後おおいに誤解されたが、語源的には「束ねる」という意味しか持たず、ヒトラーの全体主義とは趣きがことなる。ムッソリーニが悪者扱いされるのは共産主義者らが自らの全体主義をすりかえる宣伝に拠る。

全体主義批判は朝鮮戦争と中国共産党政権の誕生から、ソ連と中国に対して使われるようになった。

西側の人々が共産主義の夢から醒めたのは「鉄のカーテン」「東欧の共産化」「中国の共産主義全体主義政権の誕生」、そして朝鮮半島を共産化しようとしてスターリンが命じた朝鮮戦争を体験したからである。

日本の特性は一七条憲法の時代から合議を尊び、物事はなかなか決まらない。しかし、いったん決定されると国民が団結するという稀有の民族性があり、いまは政権のリーダーシップを論じるより、国民の団結こそ重視されるべきであろう。

▼ええじゃないか、お伊勢詣り、富士講

江戸時代には「お伊勢詣り」（お陰詣り）という突発的な珍現象が、およそ六〇年周期で繰

り返された。
このため江戸時代に庶民金融が発達する。今日の信用組合のごときメカニズムをもった講の発達がお伊勢詣りを支えた。

歌川広重「伊勢参宮　宮川の渡し」

ある日、ふいに横丁や商家の娘らが何かに憑かれたように伊勢へ行く。奉公人が雇用主にも告げずに伊勢へお参りに行く。道中では篤志家の商家が宿泊施設を提供し、食事を供与した。その東海道中の混雑ぶりは、歌川広重の「伊勢参宮　宮川の渡し」という浮世絵に如実に描かれている。路銀を持たずとも麻疹の流行のように、人々は憑かれて旅立ったのだ。
「富士講」もそのひとつで、霊峰富士へ祈祷にでかけるため、「講」が本格的に流行った。皆が掛け金を持ち寄り、籤を当てた人が富士へ登攀に出かける。霊験あらたかな浅間神社の神札を貰いに、どっと甲州街道、東海道を埋めた。日本政府のひとり一〇万円の発想も、この講に起源がある。
幕末に「♪ええじゃないか、ええじゃないか」と踊り狂う不思議な行進が京、尾張、大阪から四国にかけて突発的に出現し、大政奉還の直前までこの社会狼藉的な行動が続いた。倒幕側が仕掛けた謀略という側面が強いが、京都の混乱に乗じた薩長が、幕府の体制を揺さぶり、維新へと展開させる効果があった。しかし参加した大半は自発的であり踊りはなんだか阿波踊りに似ていた。

さて現代日本でも同じ現象がみられる。昨秋、渋谷でのハロウィン騒ぎをご記憶だろう。筆者などの世代からみれば、意味不明、何が目的なのか、ともかく渋谷には派手なコスチュームやカボチャ人形。日頃のストレスの発散場所のようでもあった。彼らの目的は単に騒擾をつくりだすことであり、一種「狂演」とも言える末法現象と捉えられる。

ハロウィンはそもそもケルト民族伝来の厳かな宗教儀式であり、敬虔な祈りの場であって、渋谷のハロウィンとは無縁。きっとケルトの精霊たちは眉を顰《ひそ》めたことだろう。

文科省とは性格が異なるが、アメリカには教育省がある。

トランプはこれをぶっ壊せとのたまわっている。米教育省は、たとえば大学の孔子学院に対して廃止しなければ予算を削減するという手段を持っており、研究機関の内情報告、つまり外国人スパイを監視するためにＦＢＩと協力関係にある。

よく指摘されるように日本では「アマゾンやグーグルやテスラなどは生まれない」。なぜなら創造的創作力に乏しいからだと批判されるが、これも真実ではない。

GAFAに匹敵したソニーやパナソニックは昔話。ちょっとITで成功した若手も「マザーズ上場」程度でこじんまりと安定を目ざす。破天荒な冒険でひとり気を吐く孫正義も、いよいよ正念場。日本では世界的投機を展開するジョージ・ソロスのような博打打ちを望まない社会だからだ。

ともかく戦後、文科省が力点を置くのはスポーツ振興と青少年育成が本来目的の（実態はOBの天下り）団体補助、育成であって、教育が本来目的とするべきは知育、体育、徳育の三つではないのか。

後者の徳育を受けてこなかった「成績だけは優秀」な若者達が文科省官僚になれば、いまのような教育の堕落と体たらくは予想されたことである。

コロナ災禍の大混乱により巣ごもりを余儀なくされた人はこうした教育の荒廃について文科省に抗議するべきではないか。

▼待っているのは戦争かも知れない

世界大混乱のどさくさに中国は何をやっていたか。

南シナ海に行政区を設立したと一方的に宣言し、コロナ損害に対して欧米の責任追及を真っ正面から拒否し、武漢は安全になったと宣言した。

いまさら驚くことはない。中国はどさくさに便乗して違うことをおこなう。火事場泥棒の行為である。中国はウイルスの武漢発生、中国元凶説を否定し、欧米の賠償請求に対してこう反駁したのだ。

「エイズは米国から発生したが、米国の責任を問うたか。米国は賠償したか。中国も今回は被害者である」（外交部、四月二〇日）。ちなみにエイズの発祥はアフリカで、同性愛者が多い米国で爆発的に拡大したが、患者が最多なのは使い回しの注射針で売血を奨励した中国の河南省だった。

生物兵器研究所の武漢ラボが元凶とされたが、中国は「武漢は安全になった」と腰を抜かす台詞を吐いて開き直り。こうした発言を繰り返すスポークスマンを中国は「戦狼外交官」として高く誉めあげた。この「戦狼外交」（ＷＡＲ　ＷＯＲＲＩＥＤ　ＤＩＰＬＯＭＡＣＹ）をニューヨークタイムズも問題視した（Ｗｏｒｒｙには猟犬が獲物に噛みつき振り回すという意味がある）。

中国は二〇一二年に南シナ海の南沙、西沙諸島の島々を統括して海南省三沙市（人口は一八〇〇〇人）を制定した。

二〇二〇年四月一九日に「正式な行政区」だと言い放ち、「西沙区」と「南沙区」を新設した。「西沙区」はパラセル諸島を中心とする資源の宝庫。付近では同年四月二日にも中国海警船がベトナム漁船に体当たり、沈没させている。一九七四年以来、ベトナム漁船への攻撃が頻発しており、ベトナムと激しく戦闘を繰り返す海域である。

「南沙区」は、フィリピンとスカボロー島をめぐって軍事衝突を引き起こした海域である。米国国務省は「武漢コロナ対策での忙殺に付け込んでいる」と憤懣やるかたなき姿勢だが、軍艦を派遣する余裕はない。なにしろ米海軍空母乗り組員のコロナ感染で一時は空母攻撃群が機能不全に陥った。

この「絶好の機会」を中国は「いまだ」と機会便乗し、領有権を正当化し南シナ海の実効支配を強めるのだ。ベトナム政府は「これらの動きは無効だ。不当な決定を破棄せよ」と強く抗議した。

習近平政権は海域の七つの拠点となる島嶼をすでに白昼堂々と埋立て、人工島を造成し、軍事基地化した。三つの島には滑走路を敷設し、ミサイルを配備した。

レーダー基地を設置した島もあるが、中国は「このあたりの海域は昔から中国の領海だ」と強盗の居直りを続ける。あまつさえ、南シナ海の五五の海底地形や二五の島嶼と暗礁、合計八〇を勝手に命名した。これまでにも二八七の島嶼・暗礁の名称を一方的に公表している。

かつての「東西冷戦」はソ連が敗北して米国を基軸とする多極化の世界となった。米国の覇権が蘇り、一方で過去三〇年間は中国の台頭がめざましかった。

米国は「中国が豊かになれば民主化する」という錯覚の元に、中国の増長を支えた。一時は「G2」（米中で世界を二分割）と囃されるほどの状況も出現した。「米国は甘い」とみるや中国は軍事力の突出に励み、ＩＣＢＭに原潜に空母、そしてステルス爆撃機まで誇るようになった。

世界覇権が脅かされると米国は対中政策を一八〇度転換した。「トゥキディデスの罠」という歴史の法則は覇権国は新しい覇権国の出現をつぶすという。抜き差しならない米中対立が新しい世界の多極化、分化をもたらすかに見えたときに武漢コロナ災禍が発生、世界は中国への認識を根底から改めた。

中国は四面楚歌となった。

この結末が戦争を惹き起こす動機になる可能性がある。

もし通常戦争が勃発しても、それは局地戦に留まるか、代理戦争のレベルでおさまるだろう。というのも核兵器をお互いが飛ばしあうとなれば、人類の滅亡に繋がる。そのことは米中ともに共通認識である。

しかし熱い戦争には至らなくても、現在の米中対立は事実上の戦争状態とみてよい。高関税をかけあった貿易戦争は、ファーウェイ排除などハイテクの争奪をめぐる技術戦争に移行し、次に在米資産凍結などの金融戦争となるだろう。

いずれ米中対決は最終決着を見る。日本はよほどの覚悟を以てこの趨勢判断を間違えないようにしなければなるまい。

▼米国の疲労、油断を狙え

米国がチャイナウイルスの災禍に直撃され世界最悪の犠牲を毎日更新しているときに、「隙あらば」と覇権の野心を研ぐ中国軍は戦争準備に余念がない。

二〇二〇年四月二四日、米海軍駆逐艦「バリー」が台湾海峡を通過した。中国大陸と台湾のあいだにある台湾海峡は戦雲が漂っており、台中間の軍事緊張が連続している。米艦艇の台湾海峡通過は一ヵ月間に二回おこなわれた。

台湾国防部並びに米海軍第七艦隊報道官は誘導ミサイル駆逐艦「バリー」が国際法に基づき、「台湾海峡を通過する通常任務」を実施したと説明した。おりしも中国の戦闘機が同海域で演習を行っていた。

同じ日に中国の空母攻撃群が台湾とフィリピンの間のバシー海峡を通過した。四月初めにも中国艦艇は台湾東部付近を航行している。中国側は「南シナ海での定期演習」と説明していた。

中国軍はここ数ヵ月、台湾付近で頻繁に演習を実施している。このため米軍は「自由で開かれたインド太平洋への米国のコミットメントを示す。米海軍は今後も国際法で認められるあらゆる場所で飛行、航行、活動を続ける」とした。

中国は尖閣諸島周辺で、コロナの最中にも軍事的挑発を繰り返した。日本側の偵察ならびに即応態勢を試す目的も含まれている。防衛省や海上保安庁によると一～三月の中国公船による尖閣諸島周辺の接続水域内へ一二八九隻が侵入。これは前年比で五七パーセント増だった。海域侵犯も二回繰り返された。

四月一一日と三〇日の二回、中国海軍の空母「遼寧」とミサイル駆逐艦など六隻の攻撃群が沖縄本島と宮古島の間を南下して太平洋に入り、南シナ海で軍事訓練を実施した。

中国機の領空侵犯も頻発しており、航空自衛隊の緊急発進（スクランブル）は三月までで一五二回となった。

河野防衛相は「世界各国が協調して、いかに（感染症を）封じ込めるかという時期に、軍事的な拡大を図ることは許されない」として中国を厳しく批判した（四月二四日）。

軍事専門家は「日米の即応能力を測っていることは明白。コロナ感染で自衛隊も在日米軍も適切な対応が不能と分かれば、戦争のチャンスを見出す。したがって日米の防衛連携の強化が必要である」と分析した。

ジブチに駐在するアメリカ軍は陸軍基地、海軍基地あわせて三〇〇〇人から六〇〇〇人。作戦により増減はあるが、ジブチの米軍基地では出入り口における消毒から軍医による検査が行われ、厳重なコロナ対策が講じられている。ジブチの負債は対GDPで八九パーセント、米国の支払う軍事基地賃料は、大事な歳入である。

米軍が警戒を強めるのは、世界に展開されている海外基地で、軍人、軍属、出入り業者ならびに家族を含め、すでに五九〇一名が感染し、二五名が死亡したからだ。

一方、アメリカよりアフリカに深く関与しているのは中国で、ジブチに基地を造成し、中国人民解放軍が正式に駐屯し、一万人の兵士がいる。

習近平政権はアフリカへの梃子入れを強化して、まずは産油国のアンゴラ、リビア、スーダン、ナイジェリアに大規模に進出した。ついでレアメタル重視戦略にのっとり、コンゴ、ジンバブエへ。政治的拠点としてエジプト、ケニア、そしてエチオピアに焦点をあてて経済協力、シルクロードの名の下に、借金の罠に陥れてきた。

政治目標としてアフリカ重視は国連の票買いであり、経済目標としてはプロジェクトを持ちかけ、過剰在庫処分と労働者輸出である。現時点でおよそ二〇〇万人の中国人がアフリカ五五ヵ国に散らばっている。その軍事拠点がジブチである。中国はエチオピアのアジスアベバから、このジブチへ七〇〇キロの鉄道を建設し、両国はいつのまにか、中国の経済植民地然となった。だからエチオピア出身のテドロスがＷＨＯを中国寄りに操ったのだ。

エチオピアもジブチも中国への金融依存によって外交の根幹を歪めてしまった。

▼難民という難問

シリア内戦が切っ掛けとなって欧州へ蝗の大群のように難民が押し寄せた。

さらにアフリカ諸国からイタリアを目指して、密輸業者が暗躍し、ＥＵは「難民恐慌」をきたした。

大量の難民を受け入れ優遇したドイツは歴史的なゲルマンの伝統と価値観が多様化し、結果的にメルケル自身がドイツ文化を破壊した。

コロナ感染阻止で国境を締めたが、疫病が大流行となるや、独仏西伊のＥＵ中枢国家ばかりか、北欧から東欧諸国も国境を締めた。シェンゲン協定は自動的に無効となった。

日本が覚悟しておくべきは日本海と東シナ海からやってくる蝗の大群、すなわち中国と朝鮮半島からの難民である。

いずれの日か、かならず起こるシナリオとして国防的な準備をしておく必要がある。

中国軍は尖閣諸島へ艦船を派遣して日本の即応体制を測定し、その速度、装備などを計測してきた、日本の自衛隊は警備が薄く発砲もしない。これは大丈夫という観測をえてしまったのだ。

意図的に政治的に難民を送り込むことは、かれら全体主義国家にとっては容易なことである。国家体制の崩壊、飢餓、暴動などによって今年中にも大量の難民が「あらゆる旅行手段」を使って日本に辿り着くと予想される。

難民にとって新しい綺麗な豊かな国での素晴らしい人生の始まりであり、中国共産党にしてみれば、厄介者を安く「自然に」始末できる。一度、日本へ入国してしまえば永久に居座る。欧州の難民侵入の実例を見れば受け入れ国の文化、言語、宗教、政治、経済、国家の崩壊を意味する。ならば難民が来たら機関銃で撃てるのか?

▼少子高齢化社会に必要なのは「看取り」

次に来る社会のイメージとして多死社会を考察してみよう。

『第三のチンパンジー』の作者シャレド・ダイアモンドは「人口減少は日本復活のチャンスだ」

と述べている（『週刊文春』二〇二〇年一月二日・九日合併号）。

日本の主流の議論の正反対だから驚く読者が多いかも知れないが、筆者はむしろ賛成だ。なぜなら日本はむしろ人口が多すぎるのである。

狭い国土に一億二千三百万人が暮らせば住居がウサギ小屋になる。生活空間に余裕がなくなる。単に住宅の問題だけではない。

ダイアモンドは第一に人口八千万人が適当としてドイツと同数になり、輸入する資源が減って資源小国という強迫観念が希釈になること。第二に女性の雇用のチャンスが拡がり、第三に雇用高齢化が定着する。第四に外国人労働者をそれほど受け入れないという選択肢が日本にもたらされる。ゆえに日本にとって人口減少は逆にチャンスだとする。

とはいえ近未来の日本社会は「超高齢社会」というよりも、事実上の「多死社会」に移行する。すでに出生者より死者が上回り、人口動態は少子高齢化と同時に大量の死がやってくる時代となる。戦後ベビーブーマーの「団塊の世代」が終活期に突入したからだ。

現在進行形の少子高齢化社会で、介護保険が確立された上、介護士が大量に養成された。そのうえ「終末ケア」の必要が説かれて各地にケアセンターが次々と生まれ、雑誌は「相続」の特集を出している。この方面に詳しい弁護士も増えた。

驚くなかれ伝統的な大家族制が消滅し、介護が日本国家の「基幹産業」となった。縄文人が知ったら尻餅をつくほど驚くだろう。

ものつくり、匠の技術を誇った日本の基幹産業が変貌していたのだ。日本経済の絶頂期には考えも及ばなかった、退嬰的な社会に変貌した。

人は人生の満足度を抱きながら安らかに眠るのが理想である。戦後の死生観は戦前までの伝統的なそれから転倒し、生きることだけが尊重される、不思議な価値観に蔽われている。

今後の日本では「看取り」が重視される社会となり、「看取り士」が増えるという予測が成り立つ。コロナ以後の最大の変化は、おそらくこのことだろう。

人口動態から推測できることは二〇一五年に毎年一五〇万人、二〇四〇年には年間一八〇万人が死ぬ一方で、出生数は二〇一八年に八六万人強と、極端な少数核家族化、しかも高齢単身世帯が六〇〇万、このうち四〇〇万が女性の単身世帯となり、介護認定は二〇一八年に六四四万人、これを一八〇万人の介護士が支えている。二〇二五年には二五三万人の介護士が必要だが、三八万人が不足することになる（後述の藤和彦論文）。

このような後ろ向きの社会が到来するにあたり、考えるべきは結婚観、家族制度、冠婚葬祭のあり方、死生観の是正、日本の伝統的哲学の再構築ではないのか。

戦後の日本では、ＧＨＱの占領政策の影響が大きく、価値観の転倒が起こり、日本の伝統的家族制度がＧＨＱによって破壊された。結婚の伝統も欧米的な、即物的な儀式に変質し、日本的良さは喪失された。教科書を調べると、「家族」の大切さを記述していないのが二社あった。死生観の激変によって、死＝無という考え方が拡がった。仏教への帰依が希釈化したからだろう。

ニヒリズムが蔓延し、人生をいかに生きるかは説かれても、如何に死ぬかは無視されがちだった。

他方、安楽死をもとめてスイスへわたる日本人が静かに増えている。スイスでは安楽死が合法化されているからだ。

「人生において何が本質的に重要なのか、いまの仕事が何かに貢献しているのか」という思考が見失われ、ある種達成感や人生の満足感をもって死を迎えるという人間が少なくなった。無駄な人生だったとみる、人生に意義を認めない人々が増えた。

戦後、麻疹のように流行した実存主義の悪影響などが好例だが、ＡＩはケアの代替にはなり得ない。人間による暖かい看取りが必要なのである。

▼輪廻転生

縄文時代から日本人には輪廻転生を信じていた。

死への恐怖を和らげるのは生まれかわりを信じる考えであり、宗教家が登場して新興宗教を組織しやすくもなるが、そもそも神は人間が想像したのである。

日本各地に残る縄文遺跡、その竪穴住居跡を調べると、入口に甕が埋められている事例が多い。この甕は逆さにされ、底には小さな穴が開けられており、乳幼児や死産児の遺体が納められていた。

死産児の遺骨を玄関の床下や女性用トイレの脇などに埋める風習がごく最近まで日本で見られていた。

死んだ子供が少しでも早く生まれ変わってくることを願って、遺骸を女性が頻繁に跨ぐところに埋めた。

（竹倉史人『輪廻転生』、講談社）

遺体を埋める前に墓の中に魔除けと「生まれ変わり」を促すとされるベンガラ（酸化鉄）という赤い粉をまいた例もあった（簗瀬均『魂のゆくえ』秋田魁新報社）。また初期の聖書には生まれ変わりの記述が多数存在していた。

こうした輪廻転生の思想が現代に甦る。

この問題に正面から取り組んだ論文は「多死社会における産業振興のあり方に関する一試案」（藤和彦・経済産業研究所研究員）である。

その概要の重要箇所を次に簡潔に掲げる。

「生まれ変わり」の観念の起源は古い。インドでは少なくとも過去四〇〇〇年にわたって宗教的、哲学的発達の最大の源泉の一つになってきた。人類の精神史の中で輪廻や復活といった「生まれ変わり」の観念が繰り返し生じており、客観的な事実か単なる妄想なのかどうかは別にして、繰り返し出現してくるだけの心理的必然性があった。

二〇〇六年から二〇〇八年にかけてギャラップ社が一四三ヵ国を対象として行った宗教に関する国際調査では、日本は世界で八番目に宗教を重視しない国としてランクされているが、生まれ変わりを信じている日本人はなんと四三パーセントに達したのである。内訳を見てみると、高齢者よりも若年層、男性よりも女性の方が「信じている」比率は高い。生まれ変わりの主張はあらゆる時代を通じて世界のほぼ全域で発生している。

「生まれ変わり」の死生観は世界中の民俗文化において見られるが、前世の記憶を持っていると称する者の逸話がもとになって発生した可能性がある。

「生まれ変わり」を認めていた西洋古代思想、とくに古代のエジプト人が「あの世とこの世との間に大きな隔たりはない」と考えていた。太古から私たちは死と死後のことを意識してきた。

西洋哲学の出発点と言われるギリシャでは、「生まれ変わり」の観念はオルフェウス教（密儀宗教の一種）から始まったとされ、哲学においても魂や形而上的世界の実在が想定されていた。

古代ギリシャの数学者として知られるピタゴラスは前世の記憶を持ち、「不滅の霊魂」「霊魂の輪廻転生」「修養による霊魂の浄化」を弟子たちに唱えていた。

「魂の不死を信じて平然と死ぬことができる心の訓練が哲学の使命である」と弟子たちに教えていたソクラテスにとって、自らの死は永遠の生、人間の魂の永続性を象徴するものであった。ピタゴラスの世界観を継承したプラトンも、「死者の魂は一定期間を過ぎると生まれ変わる」と主張している。古代ギリシャ思想において死によって霊魂と肉体は分離し、前者は不滅とされていた。

例外はソクラテスと問答を行った当時のソフィスト（知恵ある者）たちだった。彼らは現代人のような唯物論的な考え方を有していた（樫尾直樹他『人間に魂はあるのか？』国書刊行会、二〇一三年）。

輪廻転生と言えば三島由紀夫の最後の四部作『豊饒の海』の主要テーマである。

第一巻『春の雪』の松枝清顕は第二巻『奔馬』で飯沼勲となり、第三巻の『暁の寺』ではジン・ジャン姫に転生していた（らしい）。最終巻の『天人五衰』の安永透は輪廻転生とは無縁だったことが示唆されている。

かつて筆者がローマ憂国忌での講演を依頼されたおり、イタリアの知識人らと懇談の機会があった。彼らの三島由紀夫『豊饒の海』への最大の関心事は輪廻転生だった。カトリックが強いイタリアにおいてすら、人生の模索の思想に、仏教的東洋的死生観が横たわっている事実を知って驚いたものだった。しかしよくよく考えればローマにキリスト教が入る前の信仰はミトス教であり、この宗教は輪廻転生を信じていた。

かくして多死社会となる日本で、精神的安らぎの希求や看取るというシステムが、かつての大家族制という伝統に近付くことができるか、どうかが今後の論議になるだろう。

▼ドストエフスキーの戦争論

戦後の日本文学における戦争をテーマとした作品は反戦小説ばかりだ。

火野葦平の『麦と兵隊』などを例外として、大岡昇平『レイテ戦記』や五味川純平『人間の条件』などがある。しかし歴史的には『太平記』『吾妻鑑』『平家物語』など、戦史というより人間の哀切さ、悲惨さをえぐる歴史物語が日本文学の特徴である。『古事記』における戦いの描写は浪漫的ですらある。

近代になって石原莞爾は『世界最終戦論』を書いたが、戦前の知識人らの所論を読むと、多くの思想基盤に共通性があり、どことなく似ている。つまり「八紘一宇」の世界である。神武天皇の治世がはじまる肇国の理念は八紘一宇だった。

戦後日本である時期、ドストエフスキーが異常に読まれた。

主に左派知識人が論じた。どちらかと言えばドストエフスキーは民族主義的愛国者であり、決して革命家でもない。にもかかわらず日本の戦後の左翼知識人が持て囃した。

皇帝を倒した民衆蜂起を呼びかけたのがドストエフスキーだったという一方的な解釈からで、浅薄な論理の横行——ま、それはいつの世にも変わらないが……。

ドストエフスキーのトルストイ批判は、目の前で虐殺、暴政が展開されているのに、ひたすら祈り、嘆くだけでよいのか、平和主義なら暴力を回避できるのか、という問いかけだった。日本の「乙女の祈り」に似た理想過剰の平和団体の唱える念仏を批判したことと同義である。

三浦小太郎『ドストエフスキーの戦争論』はこう言う。


戦後日本における平和主義の欺瞞性がここに語られているような錯覚を覚えてしまう。すくなくとも日本における平和主義には、その建前はどうあれ、世界のさまざまな戦争や虐殺、さらには人権弾圧に対し、平和主義の立場からどう対峙するか、それをいかにやめさせるかという深刻な問いに目を閉ざす傾向があったことは否定できない。

いまもそうではないか。暴力国家の全体主義の弾圧に呻吟し、横暴な暴政に不満を爆発させて立ち上がった香港の若者に対して、日本の左翼は一片の同情も支援も行っていないように。ウイグルやチベットに於ける中国共産党の暴政と虐殺に、平和主義理想論者は、なにか行動を起こしたのか？

米英仏の核実験には反対しても、中国やソ連の核実験には沈黙した。北朝鮮の核の挑発にも口をつぐんだ。それが戦後の日本の左翼である。視野狭窄のイデオロギーはかくも知的に堕落している。

三浦小太郎は続けてこう書いた。

美しき理想の平和主義社会を実現しようとすれば、トルストイがキリスト教に読み取った厳格な戒律による、すべての民衆への絶対的な精神への管理・支配が行わなければならないだろう。トルストイの理想社会では、この美しい言葉に反する精神は生き延びることを許されない。（中略）ドストエフスキーは、あらゆる「理想社会」を求める思想運動は、理性によってすべてが支配されている社会、すべての民衆が、一人ずつその精神を「改造」され、理性的、合理的にしか生きられない、人間の自由が社会法則によって完全に抑圧される社会の確立にいきつくのだとみなし、それをしばしば「蟻塚の思想」と呼んだ。ドストエフスキーが共産主義を目指す社会運動を否定し、近代の進歩主義や合理主義の危険性を誰よりも深く批判したのもこの思想的原則によるものである。

当時の時代背景としてロシア皇帝の権威が崩れかけ、露土戦争ではスラブの同胞を救えとしてトルコと戦争を始めたが、劣勢が続いていた。帝国の軍隊は精神が怠惰となり、弛緩していた。ドストエフスキーにとっての戦争目的はコンスタンティノープルの回復にあった。そこに「黒いイエズス会」の陰謀があったとドストエフスキーは秘密結社の幻覚を見た。ユダヤの陰謀論に似た「黒いイエズス会陰謀論」は、やがて「戦闘的カソリシズム」に置き換えられる。

ドストエフスキーは予言する。独仏戦争が引き金を引き、中東をも巻き込む大戦争が起こる、と。

カトリックと反カトリックの戦争は不可避であり、「戦いが始めるやいなや、たちまちのうちに全ヨーロッパを巻き込む大戦争になるだろう（中略）」と予言した。

その通りになった。しかも不幸なことに、ロシアには逆の運命が待っていた。すなわち「皇帝幻想を捨て、ボルシェヴィキは共産主義独裁権力のもとに地上にユートピアを築こうとした」のだ。だがスターリンは新型の「ロシア皇帝」に過ぎず民衆は呻吟と困窮を再現し、「ドストエフスキーの予言は悲劇的な形で外れ、その夢を悪夢に変えた」。

▼反近代の発想

晩年のドストエフスキーはドン・キホーテとジョルジュ・サンドに熱中し、評価した。近代人の認識における自由とは「財産を有しているか否かによってのみ保証される『金銭の奴隷状態』にすぎない」のであって、道義も平等も失われる。ここで三浦小太郎氏は西郷隆盛の道義国家建設としての西南戦争の悲劇を、ドストエフスキーとの近似を、ドン・キホーテを通して見つめなおす。

またジョルジュ・サンドが田舎娘の悲喜劇を描いた『ジャンヌ』を高く評価して惜しまなかった。ジョルジュ・サンドと言えば恋多き奔放な女流作家として知られ、男爵夫人というより「ショパンの愛人」、「男装の麗人」のほうが有名だが、晩年に書いたのがジャンヌ・ダルクの名前からとった『ジャンヌ』だった。フランス人の心の原点ともいえるジャンヌ・ダルクは羊飼いの田舎娘だった。彼女をモデルに、その無垢、その妖精信仰、まわりの男たちの俗物根性と近代化意識との激しい乖離を描いたのだ。

背景にあるのは古代ケルト以来の自然信仰と輪廻転生なのである。

これらをカトリックは邪教として否定した。欧州は古代ケルト文明のうえに成り立っているというのに。

ドストエフスキーはロシアの民衆の信仰が古代ケルト文明の伝統を引く自然信仰と輪廻にあるとした娘ジャンヌ、そして近代化を信じる新世代との思想の戦い、近代化幻想も行きつく先は全体主義国家への転落にあると見抜いていた。

ドストエフスキーは、この文化的宗教的表現に大いに共鳴し、プーシキンについて感動的な講演をしている。

死の二年前、いってみれば彼の文学論人生論の集大成であった。ロシアへ行くと大きな都市にはプーシキン記念館がある。いやロシアばかりか筆者が旅したウクライナのオデッサにもモルドバのキシニューにもあった。ロシア語圏を超えて世界に親しまれたプーシキンがロシアの魂を代表するからだ。プーシキンはロシア知識人を代弁し、反政府政治運動に携わり、皇帝から疎まれて、モルドバとオデッサに島流しとなったのであり、キシニューのプーシキン記念館はこじんまりとした庭もあって、書斎も再現されていた。筆者が訪ねたのは三年ほど前のことだから、依然として職員から庭番もいる記念館を管理している事実は、その背景にある人気の高さを想像させずにはおかない。モスクワのプーシキン美術館はエミルタージュとならぶ巨大な美術博物館だ。そしてプーシキンは決闘に敗れて死ぬ。波乱にとんだ逸話に満ちた人でもあり、ロシア近代文学の父とも言われる。

ドストエフスキーは、プーシキンを「肉親のような愛情をこめてその民衆と結合したロシアの作家」と称賛したのだった。

ここで言いたいことは何か。

つい先日までの日本人は輪廻転生を信じていた。魂を尊重していた。この原理は唯物主義で魂を軽蔑する共産主義や全体主義を受け入れる体質ではないということである。

第六章 ウイルスと「共存」の時代

WHAT NEXT

「何かが絶たれている。豊かな音色が溢れないのは、どこかで断弦の時があったからだ」

三島由紀夫『文化防衛論』

▼「共存」時代の幕開け

コロンビア大学で国際政治の教鞭を執る佐々木フミ子氏がこう言う。

「日本人とコロナウイルスに関する心理で他国と異なるのは、日本人は感染者をまるで刑罰がきまった服役する犯罪者のようにみている」（『サウスチャイナ・モーニングポスト』四月二八日）。

なるほどそういう一面が外国からみると浮かんでくるのか、と思った。しかし日本人からみると正反対。他人に迷惑をかけたくないからマスクをしている人の方が多いし、感染者には深い同情を示している。感染者の宿泊ホテルの周りには「頑張れ」と横断幕、地元の人々が激励していた。おもいやり、おもてなしの篤い民族的特性が出た。

だが感染は拡大して、人々は巣ごもりを強いられた。大学のキャンパスに人の声がしない。学校の運動場は閉鎖されている。人通りの途絶えた街を歩くと薄気味の悪い風景に犬やカラスがゴミ集積場にいてビニール袋や突いて破り、食事をしている。鼠が大量に疾駆している。

地方へ行けば、農家が熊に荒された被害を散見する。獣や鳥が山から下りてくるのは明らかに自然現象、温暖化など様々な要因が挙げられる。

もとより森林を伐採すれば保水力が失われ地盤が決壊し、土石流が発生して麓の村々が消滅することがある。大雨、台風。そして地震による津波は大災禍をもたらし、街が消えた。土地は曠野となり、獲物をうしなうと動物たちは移動する。生態系が破壊されつつあるからだ。

日本では古代から自然とともに暮らしてきた。豊かな自然の恵みを尊重してきた。この発想は大陸の人々に理解できないことである。西洋の神は自然を敵をして信徒に自然と闘えと教えた。

ユーラシア大陸の人々にとっての認識は、全能の神が自然を支配しているのであり、自然は敵なのである。原始林を伐採し、道路を開き、文明の利器がどやどやと開発を急ぎ、自然を破壊した。生態系がこわれると循環が不全となり、ときにウイルスが猛威をふるう。カミュは『ペスト』のなかで、神に跪けという傲慢な神父を登場させた。

イマヌエル・カントは神の及ばぬ自然の摂理に不条理を嘆じて神への疑問を投げかけた。ところがニーチェともなると、キリストの神を認めず、「神は死んだ」と言い残した。

だが日本は多神教であり、日本の神々は自然界と共存し、まして絶対神はおらず、古事記や日本書紀に記された日本誕生は神代と人代に別れる。自然の摂理を尊ぶのである。

この彼我の差は決定的である。

自然を愛し、観賞し、月を愛でて歌を詠むなどの「もののあわれ」を表現する日本人は、世界的に独特な存在なのである。「もののあはれ」「いたわる」「心が温まる」という表現は中国語の語彙にない。前者は英語でも表現できない。

コロナウイルスの感染拡大のスピードとその兇悪性、その対策が日本と欧米並びにユーラシア大陸の人々との間で明確な差違が出た。死者が多い、少ないの話ではない。古代から生態系の循環のなかにウイルスは存在してきた。人間はウイルスと共存してきたのだ。

ユーラシア大陸に繋がると雖も、独自の文明を享受してきたスウェーデンは世界でもユニークな対応をとった。

すなわち都市封鎖もレストラン休業も強いず、マスクを強制しなかった。スウェーデンでは町の殷賑が変わらず、マスクなしで日光浴や散歩を愉しみ、オープンカフェではお喋りに花が咲いた。そして或る限界点をこすと免疫を集団で獲得していた。

日本では強制も罰金も伴わないのに、国民は外出自粛、在宅勤務、マスク着用、そしてソーシャル・ディスタンスを守った。巣ごもり期間の三大ヒット商品は任天堂のゲーム、CS、そしてネットフリックスだった。

いずれも家に籠もり、時間をもてあましても瞑想、思索、読書の時間ではなかった。暇つぶしにゲーム、見たい映画、音楽ライブの画像。外出自粛が解ければこれらは見捨てられ、映画館、テーマパーク、歩行者天国、そして居酒屋に繰り出すことになり、ヒット商品は一過性だったことになる。

さはさりながら、あらゆる産業に地殻変動の予兆がある。

旅行業界、ホテルなどはスカウトが行われている。優秀なガイド、通訳、接客のベテランが他の業界に移動している。インバウンドの回復には二、三年かかるだろうから老舗旅館の廃業も続いている。人材はつねに求められるのである。

▼消費マインドは移り気でもあり、傾向でもある

消費マインドの変化をどこで読むか?

たとえばヤマト運輸は業界の革命児として「企業から企業」から「個人から個人」という配達業態の変化を主導し、クール宅急便などのヒットを生んだ。年間一八億個の荷物を配達し、従業員二三万人。海外拠点も多い。

それがコロナ以後、対面配達をやめ、ボックス配達や、ドローン配達の実験をおこなって次代のビジネスモデルを模索している。

セメントは、この三〇年で八〇〇〇万トンから四〇〇〇万トンに需要が減った。半減した現実は、日本が誇った製鉄所の高炉が次々と閉鎖に追い込まれたことに比例する。建築業界はふるわず、公共事業は減らされ、労働者は激減して外国人に依存するようになっていた。建設現場へ行くとわかる。飛び交う言語は外国語である。コロナで被害を被ったのは建設業界であり、

工事現場で工事中断が相次いだ。

マンションの新築件数が劇的に減少した。

五輪を当て込んだタワーマンションの売れ行きが足踏み状態である。基幹産業が衰退の途次にある事実は誰もが掌握しているが、次の産業革命がコロナ収束以後に日本でも起こる。

自動車生産が世界経済を牽引した。年初来、コロナ災禍による都市封鎖、外出禁止などによって新車販売が激減したことは一過性の現象であるにせよ、自動車が産業の主流の座を降りるとなると、次に何が産業界を牽引するのか?

或いはネット時代に産業革命の寵児といわれたソフトバンクや楽天の低迷ぶりをみていると、持て囃された新興産業も転換を余儀なくされており、大きな岐路にさしかかっている。

ＩＴ関連で日本でも若手の起業家が輩出したが、世界を画期する「第二のビル・ゲイツ」は登場しなかった。

医療機器、ヘルスケア、製薬が飛躍的に伸びる産業である。各国も予算配分に気を配り、増額傾向にある。しかも自製化の傾向も明らかである。

国家は経済ナショナリズムによって興隆し、自由貿易下では衰退するのだ。

医薬、製薬、医療用器具を自国でつくることも安全保障上、きわめて重要ということを西側社会はコロナ災禍によって改めて認識できた。ちなみに日本は中国を中軸とするサプライチェーンから脱出して国内にもどる日本企業に無利子融資をおこなって奨励するという方向転換を行った。

ワクチンや特効薬のみならず、医療用マスクや防護服、そして使い捨てマスクや手袋、注射針にいたるまで需要が続く。日本ばかりか欧米諸国は医療機器、製薬生産を中国に依存してきたリスクに目覚め、自国生産に戻しつつある。マスクをシャープやパナソニックが生産するという異変は他分野でも顕著になるだろう。

精密部品、メカニカルな部品や中枢部品など、工学系も横ばいか微増傾向になり、問題は工場をどこに移転するかというサプライチェーンの世界的再構築に移っている。

過去一〇年の大変化といえば、通信革命を基盤にメディアがすっかり変質したことがあげられる。

電波の世界でも地殻変動が繰り返され、地上波のテレビがユーチューブなどに代替されつつある。紙媒体の新聞がかつての甚大な影響力を失ったことは、朝日新聞の凋落をみれば歴然としている。

コロナ災禍によって米国では数十の地方紙が廃刊となった。新聞も広告が減って経営が困難となり、地方の人も都会人と同様にネットでニュースをみるようになったからだ。

▼トフラー『第三の波』の予測

一九八〇年、アルビン・トフラーの『第三の波』がベストセラーとなった。

第一の波は農業革命、第二が産業革命であり、つづく第三の波は「情報化社会」の到来だとトフラーは予測した。この『第三の波』は日本でも翻訳が出た。トフラーが強調したことは、通信が双方向となり、コテージで仕事が出来る世の中がくるとの近未来予測だった。

トフラーの前にハーマン・カーンの『大転換期』という社会基盤の変化を予測する大胆な書があった。このあとにはジョン・ネイスビッツの『メガトレンド』という本も出た。

ネットの急発達で、既存のメディアの権威は失墜した。

その典型がツイッターで選挙をたたかって勝利したトランプであり、またアメリカでは既存の三大ネットワークとCNNよりFOXの急伸が顕著となって、これまでマイナーとされた考え方の持ち主が、実は多数派だったことも立証された。

コロナ災禍で地下鉄もバスも新幹線もガラガラ、ゴールデンウィークの人出が八八パーセント減という意味は、在宅勤務というスタイルが普及したからである。営業停止を要請されたネットカフェも、いち早くテレワークシェアと看板を変えて「新規開店」の離れ業を演じた。

ともかくコロナ後も、大半のホワイトカラーは会社へ通うことなくても自宅か別荘で仕事をこなせる時代の到来である。

かつて日本にはブンダン（文壇）という特殊な、群れをなす集団があった。集まる場所は銀座、酒場では見えない秩序があって自然発生的な序列がなんとなく決められ、ボスがいて編集者が阿諛追従した。これは論壇もアカデミズムの世界も同じだった。文壇、論壇は東京に集中していたが、この崩壊が徐々に進み、銀座は廃れ、小説家は地方にいても成立することになった。

最初の段階ではＦＡＸで送稿していた。いつしかワープロのフロッピーの受け渡しとなり、いまではパソコンで送稿できる。東京に暮らす必要もない。速達書留で原稿を送ることもない。いや、編集者が原稿をとりにくることもない。筆者自身、連載をしている雑誌の編集者と一度もあったことがないケースが多い。

コロナ以前から明瞭にあった現象だが、やがて緊急事態宣言によって地下鉄、ＪＲのガラガラぶりとなっても、経済がある程度機能していること、インフラが棄損されず、社会的メカニズムが回転していること、トフラーが言ったように会社に行かなくても、コテージで仕事ができる分野が増えていたこと、この傾向が明らかになったのである。

海外在留邦人が、世界に散らばっていた。コロナ危機に直面して、大挙帰国した現象にも注目してよいのではないか。

四月二三日時点で世界の各地にあって日本に帰国希望する邦人はおよそ四千名。帰趨本能が如実に出た。「日本に還りたい」。どんなルートを経由しても、まだ飛んでいる便をみつけるか、チャーターを手配して日本人は日本を懐かしんだ。インカ文明を訪ねてマチュピチュ遺跡にいた日本人旅行者およそ三百人、フィジーに語学留学していた百名の若者、アフリカ諸国では、帰国希望者はアジスアベバに集まり、まだ飛んでいたエチオピア航空を使い、ロンドン経由など、あらゆる帰国ルートを見つけて帰ってきた。この帰趨本能は人類共通とは言え、中国人やヨーロッパ人には希薄である。とくに中国は海外へ出た人を棄民扱いする。


国境封鎖とは事実上の「鎖国」である。

江戸時代の長崎の「出島」を思い出す人が多いかも知れない。四月に来日した外国人はなんと一日平均八五人だった。五月は一日平均五〇人だった。国際線の九九パーセントが欠航した。まるで鎖国状態、逆転の発想をすれば鎖国のメリットがこれから出てくるだろう。

国際的なサプライチェーンの基本があって貿易は止まることがない。しかし人の流れが止まれば「文化的鎖国」となる。すなわち日本的な強みの再発見。日本にふさわしい産業の再構築、そのための教育システムの改編という長期ビジョンの基礎的要件を考えるチャンスなのである。

グローバリズムの破綻、保護貿易主義の復活、経済のナショナル化への道に拍車がかかる。

人間が生きてゆくには、第一に食であり、第二に居であり、第三が衣、すると嗜好品、贅沢品などは不要不急の物質となる。

不要不急の物資は「突然死」のごとくに有名ブランドの購入はとまり、贅沢な時計ブームも萎縮した。ローレックスは今年の新盤発表を取りやめた。背広など衣料品の売れ行きも止まった。「洋服の青山」は全品半額セール。ファッションモデルもしばし休業とあいなった。

日本は食の自給自足が決定的に脆弱と批判された。農業従事者が激減し、農家の危機が叫ばれた。漁業、林業とともに第一次産業に従事する人口は激減してきたが、米は質的向上が甚だしく、外国へ輸出も出来るほど農作が続く。野菜は農薬汚染された中国からの輸入が途絶え、加工食品も、いずれ衛生問題から、日本へ戻ってくる気配がある。

農作物輸出国も農業労働者が不足したため輸出に回せない事態があった。この産業構造は徐々に変化し、日本でも帰農が増えるのではないかと期待している。

ウクライナという対欧州向け穀物輸出国が、上限を二二〇〇万トンに制限した。ロシアは七〇〇万トンの割当制を敷き、カザフスタンも同様、ベトナム、カンボジアはコメ輸出を禁止もしくは量的な制限、タイはくわえて鶏卵の輸出を禁止した。

とくに英国やロシアでは農業労働者にルーマニア人が働いており、交通が閉ざされたため、働き手が不足するという状態になった。一部の農家はチャーター機をルーマニアに飛ばしたほどだった。輸入国は価格上昇のためインフレになりやすい。中国では豚肉が四倍に跳ね上がった。

日本も同様で、農業研修生という名の出稼ぎ労働者が確保できず、悲鳴をあげた農家が多数あった。長野県では付近のリゾートホテル従業員が助っ人に入った。コロナ以後の重大要件はまず帰農、第一次産業の梃子入れと復活である。食糧自給こそは国家安全保障の基底である。

経済の動脈といわれる銀行はフィンテックによって変質を余儀なくされてきた。

金融、証券、保険の形態はネット、スマホ決済、カードによって脅かされて久しいが、旧態依然のままはＡＴＭだろう。このＡＴＭ維持、現金輸送経費、ガードマンにかかる経費は、膨大であり、効率的な再編が行われる。デジタル通貨はリブロの蹉跌でかなり遅れるだろうが、各国の中央銀行がブロックチェーンを基礎とするデジタル通貨に切り替える方向にある。

物づくりは、もはや大量生産というコスト競争は他国に依存し、独自の高価な商品に移行する。住宅も同じで通勤不要、コテージ生活が良いとなれば、限られた職種ではあろうけれど、住宅建設の発想も変わる。タワーマンションが頭打ちとなった現象は都会よりも田舎暮らしという次代を予感させる。

▼都市文明のアキレス腱

世界が震撼し不安のどん底に落とされた武漢コロナという未曽有の災禍で明らかになったことは何か。

「WHOの大失敗は中国中心主義だからだ」（トランプ大統領）

「中国のだましに協力してきたのがWHOだ」（マルコ・ルビオ上院議員）

ところがWHOのテドロス事務局長は、米国政権が武漢発祥を断定しているときにも「武漢から感染がひろがった証拠はない」と中国外交部のスポークスマンの如き発言を繰り返して世界が呆れた。米国論壇での主な議論は「DISTANCING FROM CHINA」（マルク・ティーソンAEI研究員）となった。

ニューヨークもロンドンもミラノもパリも都市封鎖という強硬手段にでた。都市の文明にこれほど脆弱なアキレス腱があり、日常生活があっという間に脅かされ、文明が崩壊の危機に瞬時に陥落することを改めて強く認識した。

都市封鎖措置によって交通アクセスが失われると、人の移動が難しくなる。自動車の乗り入れも禁止されて都市は忽ち死んだようになる。人通りがない交差点で信号だけが点滅している。広告塔のネオンだけが煌めいている。あとは寂寞として子供の遊ぶ声も大人のお喋りの音も聞こえない。

資本主義の象徴、繁栄のシンボルだったニューヨークのタイムズスクエアが曠野の光景に変わった。北京の長安街もパリのシャンゼリゼもミラノのドームもロンドンのボンド・ストリートも、香港のチムサーチョイも、そして東京の銀座も、感染のピーク時には烈風吹き荒れる曠野と化し、不安は沈潜し、恐怖心理が次の恐怖を増幅させた。

ヘラクレスの言った「死に神と戦え」という警句を思い出した。

ローマ帝国はなぜ滅びたのか。

世界史の教科書で教わった原因は蛮族の侵入だった。あれほど強い兵士と軍事力に恵まれ、往時は「すべての道はローマに通じる」と、天下無双の軍事力を誇ったほどのローマ帝国が、繁栄に酔ううちに、軍事訓練も防衛努力も怠り兵隊は傭兵に任せるようになった。亡国の始まりだった。

傭兵は金の切れ目が縁の切れ目、給与がもらえなくなれば戦う意思もなく、或いは平然と雇用主を裏切る。傭兵に防衛を任せるというのは精神の弛緩の最たるものである。主権を、国あげて守ろうとする気概が薄まり、国民意識は稀釈化し、団結心が喪失されれば、日常生活を律するモラルは崩壊する。加えてローマの末期には疫病がはやり、医学は未発達であり、滅亡を早めた。

「現代のローマ帝国」＝アメリカに当てはめると、もっとはっきりする。

国柄だったＷＡＳＰ（白人、アングロサクソン、プロテスタント）というコアを自らが破壊し、大量の移民がくればコアパーソナリティは失われ、社会の価値観は多様化という美名の下、実は分裂する。形を変えた蛮族の侵入によって国柄が変色した。

価値観、宗教、所得格差によるアメリカの分裂は激甚である。ましてＬＧＢＴ容認の軍隊は戦闘力を失う。黒人やヒスパニックの多い軍隊は忠誠心、愛国心よりも、学生ローンの重圧から授業料免除のための軍隊経験が動機である。士気は低い。

米国はベトナム戦争以後、アフガニスタン、イラクで苦杯をなめ、シリアには出兵せず、アジアの防衛も掛け声だけは勇ましいが、中国と正面からことをかまえる気力は失せている。空母セオドル・ルーズベルトと空母ロナルドレーガンの乗組員にコロナの集団感染が発生し、一隻はグアムへ帰港したまま、戦力として一ヵ月は休眠状態となった。

ましてニューヨークにおける疫病の大流行は、貧民街とユダヤ原理主義者の集中するブロンクス地区に多く、ホームレスが集中しているハーレムやクイーンズ地区だ。米国の保険制度は富裕層と一般層とは扱う病院まで異なり、国民皆保険という日本のような理想のシステムは達成不可能な状況である。

だから感染は瞬く間に拡がり、死者数が膨張した。社会制度の諸矛盾が伝染病を拡大させた遠因になる。


こんどはイタリアの状況に当てはめると、蛮族の侵入に対していかに無防備であったかが歴然となる。

イタリアの死者は短時日裡に中国のそれを越えた。四月初旬にスペインもフランスも米国も死者が一万を超えた。イタリア人がはたと気がつくと、中国人が国内に四〇万人も棲み着いていた。皮革製品のメッカ、プラト市は中国人移民に乗っ取られていた。まして北部と南部の対立、シチリアの無関心。イタリアは国民国家としての団結心がとぼしく、ナショナリズムより地域対立というローカリズムが鮮明だった。防疫体制は不十分であり、あのラテン特有の性格がものごとをすべて楽天的にとらえていた。

基本的にはEUの規則の縛りが事態を深刻にした。

赤字財政はGDPの三パーセント以内と決められ、予算の自由を失うと、イタリアは医療費予算をばっさりと削減した。このため医者、看護士数が不足していた。そこへコロナ災禍、医療側の対応が遅れ、医療の崩壊を招いた。

▼中国歴代王朝も疫病で滅びた

中国の歴代王朝は疫病の蔓延という直接・間接の原因で潰えた。

王朝末期には必ず新興宗教、末法思想が蔓延し、宋はあきらかに蛮族の侵略で滅び、元は新興宗教・白蓮教の勃興、民衆の叛乱により北へ去った。清朝は新興宗教の教祖＝洪秀全の太平天国による社会の疲弊が間接原因となって衰滅へ向かい、辛亥革命によって真綿で首を絞められた。

中国をつねに襲う洪水、干ばつ、疫病、そして蝗害。農作物は不作となり、飢饉は農民の反乱を頻発させる。

ざっと世界史を比較してみても、シュメールもバビロニアもヒッタイトもトラキアも農業不振、疫病によって滅亡が早まった。

シュメールとバビロニアは文字を持ち、ハンムラビ法典、バビロンの虜囚などで歴史に記載があるが、文字のないトラキア、ヒッタイトは考古学的考察から衰滅の原因を探るしかない。

ヒッタイトはインド・アーリア族がアナトリア半島に流れ込み、人類初の「鉄の文明」を構築した。トラキアは現在のブルガリアを中心とした「黄金の文明」だった。いずれもが蛮族の侵入により滅亡した。

日本の場合は、むしろカルタゴの滅亡に似ている。

世界史で明瞭な滅亡原因を明記されているのはカルタゴの悲劇である。地中海の通商国家として栄え、ローマと三回にわたってポエニ戦争を戦った、あの繁栄を極めた経済大国がなぜ滅亡したのか。

猛将ハンニバルがアルプスを越えてローマに迫った。なんとローマは陥落寸前だったのだ。ところが「平和主義者」がつどうカルタゴ議会は、進軍をとめさせた。愚かな平和主義、妥協主義者によって無思慮の停戦がなされ、その後、力を貯め込んだローマは、カルタゴの殲滅戦争に挑んだ。その前にカルタゴは非武装化させられていた。兵士も市民も殺され生き残った女性は奴隷に売られ、カルタゴ市には塩が撒かれた。

非武装国家が保護国に逆らうか、もしくは保護国より経済が豊かになれば覇権国は存立を許さないという歴史の原則を忘れた所為だろう。戦後の日本にあまりにも酷似していないだろうか。

マヤ文明は現在の中米ユカタン半島からグアテマラあたりに存在した高度の文明で、紀元前二〇〜一五世紀に栄えた。

絵文字が多数発見されているが、解読が遅れているため具体的にどのような文明があり、歴史が刻まれたのかは不明である。文字の記録が解明されるとエジプトにならぶ古代文明の全容があきらかになるだろう。マヤも、蛮族の侵入で国力が衰微したうえ、気象変動による農業の不振、農民の反乱にくわえて疫病の流行があった。

一四世紀以後のアステカとインカは中米と南米と、地域こそ違え、その民族はわが縄文と同じでシベリアを越えベーリング海を越えて南下した、謂わば縄文人と同じＤＮＡをもつ人たちが構築した。いずれもスペインの火力と、疫病で滅亡したとされるが、最近の学説ではもともとあった地元の熱病の拡がりにより滅亡に至ったともいわれる。

この二つの文明に共通するのは高度の文明力、都市計画、上下水道完備、そして多数の神殿ピラミッドである。それらが疫病の蔓延で消滅した。

日本でも文明の衰滅がいくつか確認されているが、もっとも古くは紀元前五世紀頃、薩摩にさかえた上野原縄文集落。突然の火山の大噴火によって消えた。

豊かな芸術を残した縄文土偶、土器の北海道から東北にかけての縄文文明も渡来人がやってきて混合することで古代には同化し、大和王権による統一に巻き込まれた。

パンデミックで鮮明になった日本文明の危機とは、防疫体制の不備、非常事態宣言の遅れもあるが、さはさりながら、かの「病原体大国」（中国）に、日本が地政学的距離が近いという不幸である。現在、日本に入り込んで生活しているシナ人は百万近い。形を変えての静かな蛮族の侵入である。

国境の壁をつくった米国とは反対に、グローバリズムに陶酔したかのように突進した日本は、固有の文化的価値観を自らが壊し、独立自尊というモラルを忘れ、民族のコアパーソナリティを喪失した。あまつさえ劣化した多くの国民は、国家存亡の危機にあるという認識さえ出来なくなってしまった。

▼ところが日本にはパンダハガーが暗躍

鴨が葱を背負ってくる。カモネギはどうも日本のことらしい。

共産主義、全体主義の独裁を攻撃しないばかりか、むしろ称える人々が日本に大勢いる。愚劣な頭脳の持ち主がなぜ、こんなに日本に多いのだろう？

われわれの税金でストックしてきた保護服を一〇数万着、中国に寄贈せよと与党幹事長が言えば、はいはいと送り届ける都知事。

「お莫迦さん」、「とんま」のことを喩える「デュープス」（ＤＵＰＥＳ）とはすこぶるつき莫迦の意味である。英語辞書を引くと「カモ」の意味がある。

デュープスがいる、いる、日本にはごまんと、自覚がなくそれでいていっぱしのヒョウロンカになったようにテレビ解説を同じことをいう人たちが！

かつて筆者は在日ＫＧＢのケースオフィサーとして、日本の世論工作で暗躍し、米国へ亡命したスタニスラフ・レフチェンコの米議会証言を翻訳したことがある。そのあとで『ソ連スパイの手口』（いずれも絶版）という本も書いた。レフチェンコに電話インタビューをしたこともある。

当時、レフチェンコらＫＧＢが日本で使っていた代理人、そのターゲットは学者、ジャーナリスト、知識人、テレビタレントに絞られ、フェイクニュースを流して日本の世論操作を展開した。米国の原爆は悪いがソ連の原爆は人民のためだから安全だとか、腰を抜かすような非論理を、情緒的に喋ったりしていた進歩的文化人が目立った。林房雄はかれらを「チンポテキ文化人」と揶揄した。

これをＫＧＢは「影響力のある代理人」と「自覚のない代理人」とに分類し、駆使していた。

また確信犯としてのスパイは、かつてのように共産革命に憧れ、政治イデオロギーを信じて純粋に革命のために馳せ参じる人間は不在だった。樺太の国境へ恋人と走り、理想の共産主義革命に憧れてソ連亡命行を試みた岡田嘉子の純粋は遠い昔の話になって、カネ、女、体制への恨みがスパイになる動機である。ＫＧＢはその候補となるような人物を時間をかけて観察し、接近し、転ばせた。

近年のアサンジやロシアに亡命中の元ＣＩＡの暴露男＝スノーデンをみても、かれらにはイデオロギーなぞない。この類いの人間ほど、人間の本能的欲望である性欲、金銭欲、あるいは組織への反発、怨念を抱く不満分子がころりと協力者になるのである。しかしその裏切り行為が結果的に敵性国家を利してしまうのだ。

このＫＧＢの工作パターンをもっと効率的に巨大なメカニズムとして、日本にチャイナエージェントの大網をみごとに構築したのが中国である。なにしろ日本では、中国がとくに工作をしなくとも、「親中派」という鴨が葱を背負ってせっせと中国の全体主義に奉仕してくれる。手の施しようがない莫迦の列！

こんな状況が続けば、やがて日本は亡国の危機を迎える。

いのち尊重という戦後の価値観は、いのちより大事なモノがあるという思想の復権によって変質する。戦後の日本人が否定してきた輪廻転生が信仰の充実とともに復活することもあり得る。

コロナ災禍は、死が日常生活の隣りにあるのだという古代からのリアルを、ふんだんに覚醒させてくれたのである。

いま日本が迎えている多死社会、看取り社会の到来は、すでに具体的事象となっている。現実の日本は老人ホーム、ケアセンター、生命維持装置という、お互いが助け合う社会から病院任せ、他人任せ、福祉のシステムに依存する歪んだ構造を生んだ。

基幹産業が鉄鋼ではなく介護業となって、日本の予算でもっとも多くを占めるのが、介護を含む福利厚生医療費だ。国防はまだ片隅、邪魔者扱いを受けている。このような歪んだ考え方が人間本来の価値観を再確認することによって復活し、思想哲学の世界が再び尊重され、文学は国風に傾くだろう。

▼戦後の「神話」を捨てよう

「国連幻想」に戦後日本人はしばしば酔った。

巨額の拠金をむしられたが、それほどの美酒でもなく国連の居心地は悪かった。

恒久的平和という理想は、そもそも幻想なのである。日本人は軍事力を放棄し、諸国の正義と公正に信頼を寄せるというヘイワケンポウを押しつけられたが、占領軍が非占領国の基本法に干渉すること自体が国際法違反である。現行憲法は改正ではなく廃棄するべきものである。

地球市民というキレイゴトが世の中にウイルスのようにばらまかれて、この神話も長らく延命してきた。難民問題が浮上するとEUはシェンゲン協定を瞬時に忘れて国境を閉じた。コロナ騒ぎでは、もっと厳重に国境を締め、航空機も乗り入れが出来なくなった。地球市民より地域エゴという本質が露骨に復活した。理想はこれほどに脆弱なのだ。

民主主義社会が人類の理想というのも根本的におかしい。誰もが発言し、言論の自由が保障され、結社、宗教の自由が保障されている国は、地球上に半分もない。完全な民意の反映をメカニズムで確立しているのは日本だけだろう。

米国の選挙は登録制度があり、欧州議会選挙は五パーセント・ルール（台湾も同じ、トルコは一〇パーセント）。つまり五パーセントに満たない得票の政党は議会に参加する資格がない。それが民主主義のリアリズムである。

しかし縄文の時代から少数派、弱者を尊重してきた日本では僅か一パーセント前後の得票でも、当選できる仕組みになっている。

したがって選挙はいつも少数乱立となる。そのうえ民主主義の基本ルールは最大多数の最大幸福だから四九パーセントの意見を切り捨てても良いが、日本は野党の意見をあまりにも尊重するために、議会が円滑化しないという欠点を持つ。民主制度に錯覚して惰眠をむさぼった挙げ句、首都や大阪府、宮崎県ではコメディアンが知事となり、長野県知事はペログリ作家、参議院でも瞬間風速を背にして面妖なタレントが当選する。政治はおちゃらけ、喜劇の劇場となったが、世の中はこんなものと受け止めている。

戦後の思想は西洋かぶれ、アメリカの亜流がはびこった。

戦前から日本の哲学はカント、ヘーゲルに学び、ヤスパース、ヘルダーリンなど、いまだにサルトルとか、近年の文明史ではトインビーは顧みられず、ジョセフ・ナイ、ハンチントン、フランシス・フクシマなどの所論に飛びつく人が目立った。「サル化」した日本を象徴する。

経済論壇においてもサミュエルソンからサマーズ、ドラッカーやミルトン・フリードマンやハイエクを別にしても、最近はトマ・ピケティとか、日本本来の資本主義思想は顧みられず、歴史哲学にしてもニアール・ファーガソンとかエマニエル・トッドとか。はては日本のことをまるで知らないジム・ロジャーズ等の予言師的相場師に群がるのは情けない話ではないのか。

石田梅岩などが足下にいるのに、多くが軽視してきた。ようやく渋沢栄一、二宮尊徳、福沢諭吉が見直されたが、まだ少数派であり、思想界をみても、日本の源流に迫った藤田東湖、林子平、伊藤仁斎、大塩平八郎らが本格的に顧みられていない。山鹿素行も北畠親房も慈円も忘れ去られた。

政治思想でも西郷隆盛、吉田松陰ら基本の哲学を論ぜす、永田町は些末な政策論争に明け暮れている。筆者は国会中継を見ないし、朝日新聞は読まず、テレビは見ないので、逸材がいるのかも知れないが、日本の政治家から大局観が失われたと思う。

総じて欧米の思想、理論をありがたがって亜流の議論に熱中しているうちに、日本の芯を見失ったのだ。

五輪信仰も幻想の類だろう。

世界の常識は五輪もスポーツ大会の一齣に過ぎず、キリスト教的価値観から出発している。高い価値を置くべきではない。五輪ルールに日本の伝統的なスポーツのルールも適応させたのは誤謬だった。五輪への過剰な期待は慎むべきである。そうだ、コロナ災禍を機に戦後の「神話」をまとめて捨てるべきときがきた。

▼破滅の曠野から曙光が射した

パンデミック、ロックダウン、テレワーク、クラスター、ソーシャル・ディタンス、ステイホーム等々。耳慣れない外国語の氾濫があった。なぜ日本語で疫病大流行、都市封鎖、在宅勤務、集団感染、間隔維持、そして巣ごもりと表現しないのか、いまだに日本は言語への自信喪失なのだろうか。英語を避けて日本語にこだわった唯一の例外は「新型肺炎」だった。これこそ世界的常識で「チャイナウイルス」とすべきだったが。

ともかく日本語は伝統的文化を背景に成立しているのであって、外国語に飛びつくのは軽佻浮薄な現象である。

もし孤島に一〇冊の本を持参できるとすれば、筆者は次を選ぶ。『古事記』、『日本書紀』、『古今集』、『万葉集』、『神皇正統記』、『中朝事実』、『吉田松陰』、『南洲遺訓』、『学問ノススメ』、そして『文化防衛論』。

その『文化防衛論』を書き残して壮烈な最期と遂げたのが文豪・三島由紀夫だった。おりしも令和二年は三島没後半世紀、「憂国忌」が盛大かつ厳粛に開催される。

日本の伝統的な思想が、歴史的な語彙が、ようやく甦生しようとしている。

自衛隊に乱入して蹶起を呼びかけ自刃という衝撃は過去の「歴史の一コマ」となり、文学者としての三島の細部の研究、あるいは三島演劇の特徴を分析する流れが脈ずく一方、文学や芝居より政治イデオロギー重視の三島尊敬組という二つの流れが明瞭になった。後者は三島を現代の吉田松陰像と重ねる。

第一に、平成から令和に御代が移っても、日本の自律性の回復がないこと、すなわち憲法改正が進まず、他国の干渉で靖国神社参拝がかなわず、歴史教科書がまだ自虐的であることへの苛立ちがある。

第二に日本人の精神が退嬰的で、ガッツ喪失、ましてや武士道精神の行方不明状況への不安が拡大し、三島への郷愁が現れた。

第三に経済のグローバル化より、文化の喪失への焦りが三島ブームの背景にある。三島は「断弦がある」と『文化防衛論』に書いたように万葉、古今和歌集から江戸時代の文化の高みに比べると、現代日本の文化に独自性も高尚も失われてしまったからである。

事件直後、朝日新聞は三島を介錯後に自刃した「楯の会」学生長、森田必勝の生首を一緒に並べて掲載した。これは多くの日本人の顰蹙を買った。リベラルなメディアは周章狼狽したあと、議会制民主主義を脅かす狂信者というキャンペーンを展開した。

ところが、巷の意見はまるで違った。あれほどの世界的に著名な文豪が命をかけた行動を、軽々しく論評した作家の司馬遼太郎、松本清張らへの反発も強かった。

「見事に散った桜花」林房雄（作家・文芸評論家）

「精神的クーデター」黛敏郎（作曲家）

「事件の夜の雨は日本の神々の涙」保田與重郎（文芸評論家）

等々、いまも記憶が鮮明な名文句の数々。

事件から二週間後に「三島由紀夫追悼の夕べ」が東京・池袋の豊島公会堂で開催され、林房雄、黛敏郎らを発起人に、作詞家の川内康範と、作家の藤島泰輔の司会で、多くが追悼の辞をのべた。会場に入りきれない人が一万余。交通渋滞が引き起こされた。一年後、東京・九段南の九段会館で「憂国忌」と銘打たれた追悼会には近くの武道館まで二万人の列ができた。憂国忌は『歳時記』の季語としても定着し、半世紀を経た現在も命日に開催される。

三島事件の衝撃は、師である作家、川端康成を政治に走らせ（＝東京都知事選で、元警視総監の秦野章を応援）、好敵手だった石原慎太郎は改憲を掲げた「青嵐会」に馳せ参じ、論敵だった吉本隆明は感動して転向した。直後に「老衰に過ぎない」と三島を罵倒していた江藤淳が二〇数年後に、三島と西郷隆盛を重ねた『南洲残影』（文藝春秋）を書いて絶賛した。それほどに時代は変化していた。

「なぜ、三島は行動に出たのか」。誰もが知りたいのだ。

三島の最後の行動を「正気の狂気」だと喩えた林房雄は『悲しみの琴』（文藝春秋）を書いて若き日からの濃密な交際を振り返った。正気《せいき》は、過去の日本史には危機に際して忽然と出現する英傑に共通する。

三島の友人で、『金閣寺』の翻訳でも知られた日本文学研究者のアイバン・モリスは『高貴なる敗北』（中央公論社、絶版）を綴った。その中で日本史の悲劇の英雄はヤマトタケル、義経、楠木正成、大塩平八郎、西郷隆盛とし、最後の章に三島を加えた。もののあわれ、武士道、至誠をモチーフとして政治野心には淡泊だった人々だ。

モリスは「日本人は古くから純粋な自己犠牲の行為、誠心ゆえの没落の姿に独特の気高さを認めてきている」とした。三島は晩年によく「日本の真姿を取り戻せ」「菊と刀で繋ぐ栄誉」と語っていた。武士道精神を忘れて、金もうけに疾走する現代日本人に失望していた。

東大安田講堂に籠城した全共闘の学生たちに、三島はひそかな期待をもっていた。それは「何人が本気で死ぬのか」ということだった。結局、早大も東大も、講堂占拠は機動隊が導入され、新宿騒乱でも誰も死なず、過激派はやがて雲散霧消した。むしろ彼らの多くが事件後、三島由紀夫の行動に感動し、著作を読み返し、転向した。

日本史における三島事件の重みとは、一〇〇年に一度くらい起こる正気の爆発なのである。

三島由紀夫は生前、数々のアフォリズム（＝名言や格言）を残している。中でも、「芭蕉も西鶴もいない昭和元禄」という、劣化した日本文化への的確な警句がある。

日本史の神髄を理解しないミーハーがおびただしくなって、女系天皇に賛成している。歴史と伝統の破壊につながることに、さほどの関心がない。

明治は遠くなりにけり、どころか昭和の情緒も消えかけている。だから大事件が起こる度に「もし三島さんが生きていたらどういう論評をするだろうか」との声があがるのだ。

作曲家の黛敏郎が言ったように「世界は三島氏の不在で満たされている」。

「一〇〇年後しか私は理解されない」と三島は言い残した。それを五〇年に縮めるために保守系が立ち上がり、「憲法改正」「北方領土の日」「教科書正常化」「拉致被害者救援活動」などの国民運動が本格化し、参加人員が増えている。潮の流れの変化がつかめる。

大手メディアに飽き足らない人たちがＳＮＳで発信し、ユーチューブのテレビ局はあふれるほどの盛況ぶり。何かが大きく変わろうとしている。

「令和元禄」の貧困な文化状況は、この半世紀、三島に迫る文学作品もなければ、和歌の世界は『サラダ記念日』とかの新派に汚染され、俳壇には「第二の子規」が出ない。

作法や着付けや順序にうるさい茶道も生け花も、伝統的な小唄、都々逸、三味線は廃れ、勇ましくも哀切な軍歌も、日本人の情緒を詠じた演歌も歌われない。やかましくて意味の分からないライブ。アニメが日本文化の本筋なのだろうかといぶかる人が多い。劣化した日本文化もまた、「三島の不在で満たされている」。

しかし日本は言霊の国である。

三島由紀夫は『葉隠』を座右の銘としていた。江戸時代の佐賀藩士・山本常朝が残した「武士道とは死ぬることとみつけたり」。

三島は晩年、『葉隠入門』（新潮文庫）まで書いて世に問うた。『葉隠』は現代日本人から見ればたいそう時代錯誤的な規範であるが三島の辞世は武士の道を高らかに詠った。

散るを厭う　世にも人にも先駈けて　散るこそ花と咲く小夜嵐

思想家の内村鑑三は『代表的日本人』のなかで、「甚だしい惰弱、断固たる行動に対する恐怖、明白なる正義を犠牲にした平和の愛好など、真個の武士の慨嘆に堪えない」と嘆いた。

三島の「憂国の諫死」を義挙とすれば、歴史劇としての類似は大塩平八郎である。三島自身が『革命の哲学としての陽明学』の中で、大塩に深く言及している。

だが思想的影響力という意味で、後世の人々に語り継がれる吉田松陰と同様な意義を三島は歴史に刻したのではないか。

コロナ以後の大転換期にはナショナリズムが甦生し、日本の古典への回帰が起こることは確実となった。

WHAT NEXT

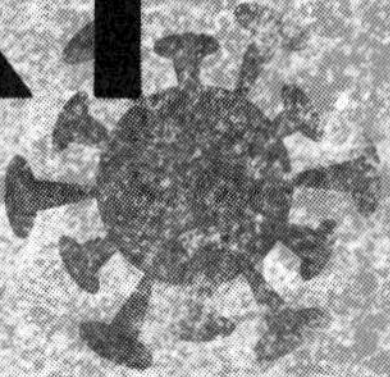

エピローグ　「デジタル人民元」という「通貨ウイルス」

▼敵国の通貨を台無しにせよ

革命家レーニンは「体制を打倒する最善の道は（相手の）通貨を台無しにすることだ」と戦争の本質を衝いた。

毛沢東は国共内戦時、蒋介石が支配した地域の通貨を台無しにするために偽札を大量に造幣し工作員やスパイを駆使してばらまいた。猛烈なインフレが起こり、民衆は蒋介石に不満を抱き、やがて共産党の天下となった。

習近平は訪英して女王陛下と会見した際に下品な振る舞いがあったとエリザベス女王が不満を漏らしたというニュースがあった。

それ以前、二〇〇八年にエリザベス女王はリーマンショックに揺れて国際金融が暗礁に乗りあげたときに金融の専門家に、こう下問された。

「なぜ、このような危機の到来を誰も気がつかなかったのですか？」

高名な経済学者は次の回答をなした。

「金融関係者や経済学者に悪意があったとか、愚かだったということではなく、注意すべき時に注意するべきものをみていなかったことが問題なのです。複雑なシステムを俯瞰して判断すべきを、それぞれが個別の狭い対象を理解していても全体像と結びつける者が不在でした」

この逸話を聞いたときに東京銀行ＯＢの足立誠郎氏は「殺人事件が起きたとき、それは事件を未然に防ぐべき人たちが殺人現場に立ち会っておらず、中にはいって殺人を止める人がいなかったからです」と答えるようなものではないかと皮肉を言っていた。

現在の中国共産党はＩＭＦのＳＤＲ（特別引き出し権）のパッケージ通貨に人民元が加わったことに満足していない。

究極的に米ドルを台無しにするためにデジタル人民元を世界に流通させようという野心を研ぎ、その一方でビットコインの取引所を閉鎖し、Ｐ２Ｐのプラットフォームを破産させた。そのうえデジタル人民元の流通実験を深圳や江蘇省などで開始した。

デジタル人民元などといっても国際的には人民元そのものに信頼がないのだから「うまくいく筈がない」と西側はタカを括ってきた。ところが昨秋以来、ぐるっと態度をあらため、西側六ヵ国の中央銀行は急遽会合を重ねて、ブロックチェーンによる新デジタル通貨の発行に前向きとなった。

米国はフェイスブックの準備したビットコイン的な「リブロ」を頓挫させたものの西側銀行団が準備に入ったデジタル通貨には「向こう五年は加盟しない」（ムニューシン財務長官）と発言しつつ興味津々で推移を見守っている。

つまり米国の考えていることはこうだ。

一九七一年のニクソンショックによって、金兌換をやめてしまった米ドルの信任は世界一の軍事力という裏打ちへの安心感、世界一の金備蓄という背景、しかしいまや米ドルは兌換できなくとも「ペトロダラー」としての使い勝手がある。米ドルは原油、ガス、穀物、レアメタル、ダイヤモンドの国際相場の基準であり、これをユーロや日本円が代替できない。米ドル基軸通貨制度はやや衰退したとはいえ、それだけの実力を備えている。米ドルの流通シェアはまだまだ続くとみてよい。

中国は、このドルにペッグして、ドル体制の内部に寄生虫のように甘い汁をごくんごくんと飲んで、軍拡にまわせるほどに肥った。人民元の交換にドルの裏付けがあるように見せかけて国際舞台で振る舞い、貿易決済ばかりか、原油、ガス、穀物、鉱物資源の買い付けもふんだんに行った。あまつさえ欧米のハイテク企業を買収し、ついでに富裕層は西側の豪華不動産を購入した。それができたのも、ドルペッグ制度を、中国が武器として活用したからである。

外国からの直接投資、貿易黒字で中国に流れ込んだドルの分量だけ、中国人民銀行は国内に人民元を流通させ、猛烈に経済を発展させる原動力とした。使える裡に搾り取れるだけ取ろうと、ドル固定制に依拠してきた。米国債を一兆一〇〇〇億ドル保有し、外貨準備を三兆ドルあると胸を張っているのもこの範囲内でドルを駆使し、世界戦略を行使できるからだ。

そして軍拡で米国に対抗できると過信するほど傲慢さを見せつけるようになった中国は、寄生虫が人の胃袋を喰いちぎって外へでようとするように、ドル体制を壊しデジタル人民元で世界経済を支配できるという未曽有の野心に取り憑かれたのである。

だから次のウ・イ・ル・スは「デジタル人民元」である。

トランプ政権はこの中国の裏の意図を見破った。

それゆえに米国の公的年金の中国株への投資を規制し、中国企業のウォール街への上場を厳格化し、中国のハイテク企業を排除し、中国資本による米ハイテク企業買収を阻止し、留学生のスパイ活動監視し、ウイグル問題と香港問題を梃子に、中国の在米資産凍結へ打って出る準備を始めたのだ。

米国が中国相手に損害賠償裁判を起こすのも、そうした戦略行為の一環と解釈すればトランプの米国は訴訟戦争を中途で引き下がることはない。

▼中国は米国債を売却するゾと脅す？

ホワイトハウス高官のあいだで、中国への賠償訴訟の担保として、中国が保有する米国債凍結という選択肢が真剣に討議されている。

中国が保有する米国債は一兆一〇〇〇億ドルで日本についで世界第二位。

中国はすでに警戒態勢にはいっており、向こう数ヵ月、保有額を減らしてゆくだろうと『サウスチャイナ・モーニングポスト』（五月六日）が伝えた。中国の金融筋は「もし凍結手段を講じたら市場で金利が急騰し、大混乱となって世界の投資家から不信を買い、むしろ米国の対中『金融核弾頭』のつもりが、米国経済を棄損する武器となる」と予測する。

金融戦争を狭義に捉えると、そうした観測も成り立つだろう。

米国は高関税による米中貿易戦争を仕掛けたが、一月にとりあえずの妥協が成立した。中国が二〇〇〇億ドル分の買い物（穀物、原油、航空機など）をして、貿易収支のバランスを取ることだった。しかしコロナ発生以後、この約束は事実上「反古」となっている。したがってホワイトハウスで議論されている選択肢の有力シナリオは高関税をさらに加算する手段だという。

米中対決の基軸が貿易からハイテクに移行し、つぎに金融戦争になることは明らかである。とくに香港民主人権法の成立直後から、中国はトランプ政権が行使しそうな在米資産凍結をもっとも怖れ、共産党高官らはすでに秘書や縁戚を米国に派遣して「隠し口座」の移管を行っている。

米ドルは金兌換システムから離脱したとはいえ、世界最強の通貨であり、基軸通貨である。人民元が世界の基軸通貨になるというシナリオは想定しにくい。

中国は保有する米国債をいきなり売却して市場を混乱させるという手段を選択できないのだ。簡単な理由で、ドルペッグに依拠する人民元は保有する米国債が裏打ちをしているからである。この「通貨の信用」という背景を自ら失えば、国際取引で人民元決済も出来なくなる。それがドル基軸体制の特異性であり、売ろうにも売れず、かといって差し押さえを待つより、これを担保にさっさとドルを借りておこうという考え方に染まることになる。

だから外貨準備三兆ドルの信用枠を崩せない。外貨準備は張り子の虎、内実はそれを凌駕するほどのドルを世界の銀行から借りている。トランプは在米資産凍結という選択肢をほのめかしながら、米中交渉の武器として駆使しているのが実相に近い。中国の言う『核弾頭』の選択肢は当面起こりそうにない。トランプはコロナ退治に追われているものの、次々と打ち出している政策は、一一月の大統領選挙再選を射程にいれた戦術的な手段であり、対中政策の大胆な変更は、再選後のことになるだろう。

日本を除いて英国もトルコもエジプトもフランスも損害賠償訴訟を準備している。

これまで親中派として知られたドイツも対中態度が変わった。

ドイツ最大の発行部数『ビルト』紙は「私たちへの中国の負債」(四月二五日)と題して、中国が発生源のコロナウイルス感染でドイツがこうむった被害への賠償を要求する社説を掲げた。

『ビルト』紙の編集主幹ジュリアン・ライチェルト氏の署名記事で、「中国は全世界をあざむいた」のであり、ドイツの経済的被害は一六五〇億ドル（およそ一八兆円強）にのぼり、この賠償を中国政府に要求する内容となっていた。

次に中国が狙うのは、ハッカー、データ盗取、知的財産権の搾取をこえてデジタル人民元の流通拡大、つまり「通貨ウイルス」の発動にある。

中国人民銀行は二〇一四年からデジタル人民元の研究をする特別チームを発足させており、「デジタル通貨研究所」を設立して、西側の動きを観察し、準備に怠りなかった。その手回しの良さには舌を巻くが、フェイスブックが「リブラ」を発表した二〇一九年夏以後は、デジタル人民元の取り組みを加速させ、実験区を決めて、決済のリハーサルをおこなってきた。デジタル人民元はスマートフォン決済を主軸とする。

中国の表向きの理由は仲介業者を通すことなく国境を瞬時に超えた決済の実現を達成し、人民元の国際化を促進する目的としている。

通貨理論に従うと、「通貨とは負債」である。中国人は伝統的に借りた金を返したがらないし、徳政令が世の中の変革に際しては常套手段だった。つまり既存の人民元が暴落すれば、過去の負債も吹き飛ばすことが出来る。そのうえで新通貨がデジタル人民元というわけである。

日本でも警戒論が出ている。野口悠紀雄（一橋大学名誉教授）はこう指摘する。

「実現すれば、世界経済の基本インフラと標準を中国が握る可能性がある。すると中国は世界を支配するビッグブラザーになりはしないか？」

漫画やＳＦの世界ではない。ＩＴ社会が急速に普及し、ネットが迅速に拡がって世界瞬時のコミュニケーションを可能にした。ＡＩ技術で中国はいまや米国と互角の競合ができるほどの発展し、スパコン、ドローンでは米国を抜き去り、５Ｇで欧米に先行しているではないか。

日米ならびにＥＵなど西側はコロナ感染で騒いでいて、大局の流れを俯瞰する人がすくなくなった。この劣化した現実は近未来を憂慮させる。

◆著者◆
宮崎　正弘（みやざき　まさひろ）

昭和21年金沢市生まれ、早稲田大学中退。

「日本学生新聞」編集長、雑誌『浪曼』企画室長を経て、貿易会社を経営、世界を回る。

昭和52年『もうひとつの資源戦争』で論壇へ。以後、旺盛な好奇心とともに世界各地の戦争、紛争、選挙、事件現場など取材。中国全33省も踏破した。

最新作に『日本が危ない！一帯一路の罠』（ハート出版）『習近平の死角』（育鵬社）『コロナ以後、中国は世界最終戦争を仕掛けて自滅する』（徳間書店）など時局評論のほか、『吉田松陰が復活する』『明智光秀　五百年の孤独』、『西郷隆盛』など歴史評論多数がある。

WHAT NEXT ——次に何が起こるか？コロナ以後全予測

令和2年6月27日　第1刷発行

著　者　宮崎　正弘
発行者　日高　裕明
発　行　株式会社ハート出版

〒171-0014 東京都豊島区池袋3-9-23
TEL.03（3590）6077　FAX.03（3590）6078
ハート出版ホームページ　http://www.810.co.jp

ISBN978-4-8024-0099-2　C0031

印刷・製本　中央精版印刷株式会社

日本が危ない！一帯一路の罠

マスコミが報道しない中国の世界戦略

宮崎 正弘 著

ISBN 978-4-8024-0073-2　本体 1500 円

神武天皇実在論

林 房雄 著　宮崎 正弘 解説

ISBN 978-4-8024-0097-8　本体 1500 円

元韓国陸軍大佐の反日への最後通告

日本は学ぶことの多い国

池 萬元 著，崔 鶴山・山田智子・B．J 訳

ISBN 978-4-8024-0092-3　本体 1800 円

近世日本は超大国だった

強く美しい日本の再生復活を阻む「三つの壁」

草間 洋一 著

ISBN 978-4-8024-0091-6　本体 1500 円

復刻版　初等科修身［中・高学年版］

ＧＨＱが葬った《禁断》の教科書

文部省 著　矢作 直樹 解説

ISBN 978-4-8024-0094-7　本体 1800 円

日本軍人が証言する戦場の花 朝鮮人慰安婦

やはり、言わねばならん！　慰安婦とはどんな存在であったか

細谷 清　企画・編集　目良 浩一　監修　小山 和伸 協力

ISBN 978-4-8024-0087-9　本体 1300 円